MIDNIHTERS

L'auteur

Scott Westerfeld est né au Texas. Compositeur de musique électronique pour la scène, concepteur multimédia et critique littéraire, il vit entre New York et Sydney.

Il est l'auteur de cinq romans de S.F. pour adultes, dont *L'I.A. et son double*, déjà paru en France, et le space opera en deux parties paru aux éditions Pocket : *Les Légions immortelles* et *Le Secret de l'Empire*.

Scott Westerfeld écrit également pour les jeunes adultes : les séries *Midnighters*, *Uglies*, *Code Cool*, ainsi que *V-Virus* et *A-Apocalypse*.

Du même auteur :

La série *Uglies*
1. *Uglies*
2. *Pretties*
3. *Specials*
4. *Extras*
5. *Secrets*

La trilogie *Midnighters*
1. *L'heure secrète*
2. *L'étreinte des ténèbres*
   (à paraître en mai 2009)
3. *Le long jour bleu*
   (à paraître en novembre 2009)

Retrouvez l'auteur sur son site :
www.scottwesterfeld.com

SCOTT WESTERFELD

MIDNIGHTERS

L'HEURE SECRÈTE

Traduit de l'anglais (États-Unis)
par Guillaume Fournier

POCKET JEUNESSE

À ma mère

Titre original :
Midnighters
1. The Secret Hour

Publié pour la première fois en 2004 par Eos,
département de HarperCollins Publishers, New York

Loi n° 49 956 du 16 juillet 1949 sur les publications
destinées à la jeunesse : janvier 2009

ISBN : 978-2-266-16457-3

REX

Les couloirs du lycée de Bixby étaient toujours affreusement lumineux le premier jour de classe. Les néons grésillaient au plafond, sous leurs plastiques blancs en nid d'abeille. Les sols pimpants brillaient sous le soleil qui se déversait à flots par les portes grandes ouvertes.

Rex Greene avançait lentement, en se demandant comment les élèves qui le bousculaient pouvaient avoir envie de se *ruer* dans cet endroit. Chacun de ses pas était un combat – contre l'insupportable clarté du lycée, contre le fait de se retrouver là un an de plus. Les vacances d'été constituaient une évasion pour lui et chaque année, le jour de la rentrée lui donnait l'impression sinistre d'être comme un prisonnier en fuite, repéré par le faisceau des projecteurs.

Rex plissa les yeux sous la lumière et remonta ses lunettes du bout du doigt, regrettant de ne pouvoir porter de verres fumés. Cela aurait rajouté une épaisseur entre lui et le lycée.

Tous les visages habituels étaient là. Timmy Hudson, qui l'avait frappé presque chaque jour en seconde, passa sans lui accorder un regard. La foule était pleine d'anciens ennemis, de camarades de classe et d'amis d'enfance, mais on aurait dit que personne ne le reconnaissait. Rex serra son grand manteau noir sur lui et se colla à la rangée de casiers le long du mur en attendant que la foule se disperse. À quel moment exactement était-il devenu invisible ? Et pourquoi ? Peut-être parce que le monde de la journée comptait peu pour lui désormais ?

Il allait se diriger vers la classe, quand il remarqua la nouvelle.

Elle avait son âge, ou peut-être un an de moins, les cheveux roux. Elle portait un sac vert sur l'épaule. Mais ce qui le frappa surtout, c'est que...

Elle était floue.

Une légère déformation flottait devant son visage et ses mains, comme si elle se tenait derrière une plaque de verre épais. Rex voyait parfaitement les autres personnes présentes dans le couloir mais, malgré tous ses efforts, ne parvenait pas à distinguer les traits de la jeune fille.

Il cligna ses paupières, en vain. La nouvelle s'éloignait. Il abandonna son poste près du mur pour lui emboîter le pas.

Ce fut une erreur. À seize ans, il était grand désormais, ses cheveux teints en noir plus évidents que jamais, et il perdit son invisibilité en se frayant un chemin à travers la foule.

Une violente bourrade le déséquilibra. Quatre à cinq garçons l'empoignèrent et le firent tournoyer jusqu'à ce qu'il se cogne contre les rangées de casiers.

— Dégage, pauvre naze !

Rex reçut une gifle. Sa vue se brouilla, tandis que le couloir se dissolvait dans un tourbillon de couleurs et de taches. Il entendit avec horreur ses lunettes tomber à terre.

— Rex a paumé ses lunex ! fit une voix.

Timmy Hudson se souvenait de lui, en fin de compte. Des rires fusèrent.

Rex tâtonna devant lui comme un aveugle. Ce qu'il était presque : sans ses lunettes, le monde devenait une masse de couleurs indistinctes.

La sonnerie retentit.

Le garçon s'affala contre les casiers, attendant que le couloir se vide. Trop tard maintenant pour rejoindre la nouvelle. Peut-être l'avait-il imaginée, voilà tout.

— Tiens, fit une voix.

Rex leva les yeux et resta bouche bée.

Malgré sa mauvaise vue, il la distinguait très bien. Le couloir était toujours aussi flou mais le visage de l'inconnue s'y détachait, net et précis. Il remarqua ses yeux verts, mouchetés d'or dans le soleil.

— Tes lunettes, dit-elle en les lui tendant.

Même d'aussi près, la monture restait floue ; en revanche, la main de la fille lui apparaissait avec une clarté cristalline. L'Empreinte lui collait à la peau.

Rex reprit ses esprits, referma la bouche et accepta ses lunettes. Lorsqu'il les remit, le reste du monde redevint net et la fille floue. Comme toujours… avec ses semblables.

— Merci, bredouilla-t-il.

— De rien. (Elle sourit, haussa les épaules et jeta un coup d'œil dans le couloir quasi désert.) J'imagine qu'on est en retard, maintenant. Je ne sais même pas où il faut aller.

— Non, c'était la sonnerie de 8 h 15, expliqua Rex. La dernière est à 8 h 20. Où as-tu cours ?

— En salle T 29.

Elle tenait un emploi du temps dans sa main.

Il lui indiqua la direction opposée.

— C'est dehors, sur ta droite. Les préfabriqués que tu as vus en arrivant.

Elle regarda dehors en fronçant les sourcils.

— O.K., dit-elle d'une voix hésitante, comme si c'était la première fois qu'elle avait cours dans un préfabriqué. Bon, je crois que je ferais mieux d'y aller.

Il hocha la tête. Alors qu'elle s'éloignait, Rex ôta à nouveau ses lunettes ; et à nouveau, la fille lui apparut avec netteté, tandis que le reste du monde se brouillait.

Rex se rendit à l'évidence, et sourit. C'en était une – et qui n'était pas née à Bixby, Oklahoma.

Cette année-là *serait* peut-être différente, après tout.

Rex la revit à plusieurs reprises avant le déjeuner. Elle se faisait déjà des amis. Dans un petit lycée comme celui de Bixby, une nouvelle avait quelque chose d'excitant : on s'intéressait à elle, on cherchait à accaparer son attention, on rapportait ce qu'on avait appris sur elle, on recherchait son amitié.

Sachant que les règles de la popularité lui interdisaient de l'approcher encore une fois, Rex resta à proximité, tendant l'oreille, profitant de son invisibilité. Il n'était pas vraiment invisible, bien sûr, mais cela revenait au même. Dans sa chemise noire et son jean noir, avec ses cheveux teints en noir, il passait inaperçu dans les ombres et les recoins. Les élèves tels que Timmy Hudson n'étaient pas si nombreux ; la plupart l'ignoraient, lui et ses amis.

Il ne fallut pas longtemps à Rex pour apprendre deux, trois choses à propos de Jessica Day.

À la cantine, il retrouva Mélissa et Dess à leur place habituelle.

Il s'assit en face d'elles – pas trop près de Mélissa. Comme toujours, ses manches couvraient presque entièrement ses mains pour éviter tout contact. Elle portait aussi des écouteurs d'où s'échappaient des accords de guitares saturées, en un grésillement continu. Mélissa avait horreur de la foule ; le moindre attroupement la rendait folle. Une simple classe au complet mettait ses nerfs à rude épreuve. Sans ses écouteurs, le brouhaha de la cantine lui était insupportable.

Dess ne mangeait rien, ne jouait même pas avec sa nourriture : elle se contentait de croiser les mains et de fixer le plafond à travers ses lunettes de soleil.

— Un an de plus à passer ici, dit-elle. Quelle angoisse !

Rex, sur le point d'acquiescer par réflexe, se ravisa. Il avait appréhendé tout l'été cette année supplémentaire, ces déjeuners abominables. Mais pour une fois il se sentait très excité à l'idée de se retrouver à la cantine du lycée de Bixby.

La nouvelle mangeait à quelques tables d'eux, entourée d'un petit groupe.

— Peut-être, peut-être pas, dit-il. Tu vois cette fille ?

— Hmm, répondit Dess, le visage toujours levé vers le faux plafond dont elle comptait sans doute les dalles.

— Elle est nouvelle. Elle s'appelle Jessica Day, continua Rex. Elle vient de Chicago.

— Et alors ? demanda Dess.

— Elle est arrivée il y a quelques jours. En première.

— Je suis fascinée.

— C'est une fille intéressante.

Dess soupira et baissa la tête le temps d'observer la nouvelle à travers ses lunettes. Elle renifla avec dédain.

— Premier jour de classe, et la voilà déjà à traîner avec les diurnes. Qu'y a-t-il d'intéressant là-dedans ? Elle est pareille aux cent quatre-vingt-sept autres personnes que je vois ici.

Rex opina, fit mine de protester puis s'interrompit. Autant être sûr de son coup : pour la dixième fois, il souleva ses grosses lunettes afin de détailler Jessica Day. La cantine devint un foisonnement de couleurs vives mais, même à cette distance, la jeune fille se détachait clairement.

Il était plus de midi et son Empreinte tenait toujours. Elle était à coup sûr « permanente » ; il n'y avait pas d'autre explication.

Rex prit son souffle.

— C'est l'une des nôtres.

Dess se retourna, témoignant enfin un semblant d'intérêt. Sensible au changement intervenu entre ses amis, Mélissa releva la tête, le regard vide. Elle écoutait, mais pas avec ses oreilles.

— *Elle?* Une des nôtres? répéta Dess. Tu parles!

— Écoute-moi, Dess, insista Rex. Elle porte l'Empreinte.

Dess plissa les yeux, comme pour tâcher d'apercevoir ce que Rex était seul à distinguer.

— Elle a peut-être été touchée la nuit dernière, ou un truc comme ça.

— Non. C'est trop fort. Elle est des nôtres.

Dess repartit dans la contemplation du plafond, avec une expression d'ennui total – un art où elle était passée maître. Mais Rex savait qu'il avait capté son attention.

— Très bien, capitula-t-elle. Si elle est en première, on a peut-être des cours en commun. Je la testerai.

Mélissa opina, en agitant la tête au rythme de la musique.

2

DESS

Jessica se laissa tomber sur sa chaise pour le dernier cours de la journée, épuisée. Elle fourra son emploi du temps froissé dans sa poche sans plus se soucier de savoir si elle se trouvait ou non dans la bonne classe. Elle posa son sac avec soulagement.

Le jour de la rentrée n'était jamais un moment facile. Mais au moins, à Chicago, Jessica aurait retrouvé les mêmes visages et les couloirs familiers du Lycée public 141. Ici, à Bixby, tout paraissait inconnu. L'établissement était plus petit, sur un seul niveau, mais formait un véritable labyrinthe d'extensions et de préfabriqués. Elle avait vécu le changement de salles comme un calvaire.

Jessica détestait être en retard. Elle réglait toujours sa montre avec dix minutes d'avance. Aujourd'hui, elle n'avait eu qu'une seule crainte : arriver en cours après la sonnerie sous les yeux de ses camarades, avec l'air penaud de la fille trop bête pour trouver le chemin de sa classe. Mais Jessica avait réussi à être à l'heure toute la journée.

La classe se remplissait lentement. Les élèves affichaient un air las de fin de première journée pourtant, certains remarquèrent Jessica. Tout le monde, semblait-il, avait entendu parler de la nouvelle qui débarquait de la grande ville. Dans son ancien lycée, Jessica n'était qu'une élève parmi deux mille autres. Ici, elle devenait presque une star. On s'était montré plutôt amical : partout on l'avait escortée, on lui avait souri, demandé de se lever, de se présenter. Son discours était tout à fait au point :

« Je m'appelle Jessica Day, j'arrive de Chicago. Nous sommes venus ici parce que ma mère a trouvé un poste chez Aerospace Oklahoma, où elle dessine des avions. Pas des avions entiers, juste les ailes ; mais c'est précisément cette partie-là qui en fait des avions, comme maman le dit toujours. Les gens ont l'air très gentils en Oklahoma, et il y fait beaucoup plus chaud qu'à Chicago. Ma petite sœur de treize ans a pleuré pendant deux semaines avant le déménagement, mon père devient cinglé parce qu'il n'a pas encore trouvé de boulot ici, et l'eau du robinet a un drôle de goût. Merci. »

Bien entendu, elle ne prononçait pas la dernière phrase à voix haute. Peut-être qu'elle le ferait dans cette classe-ci, rien que pour se réveiller.

La dernière sonnerie retentit.

M. Sanchez, le professeur, procéda à l'appel. Il marqua une pause, au nom de Jessica, et lui jeta un bref coup d'œil. Mais, sans doute à l'air fatigué de la jeune fille, il ne lui réclama aucun discours.

Vint le moment de distribuer les manuels. Jessica soupira. Ceux que M. Sanchez empilait sur son bureau paraissaient horriblement épais : *Initiation à la trigonométrie*. Du poids en plus pour son sac. La mère de Jessica avait persuadé le conseiller d'orientation d'inscrire sa fille dans un niveau supérieur, quitte à la laisser redescendre en cours d'année. La suggestion était flatteuse mais, en découvrant l'étendue du programme, Jessica comprit qu'elle s'était fait avoir.

Alors que les livres passaient de main en main, une retardataire entra dans la salle. Habillée tout en noir, avec des verres fumés et une masse de colliers scintillants, elle paraissait plus jeune que le reste de ses camarades. M. Sanchez leva la tête et sourit.

— Content de vous voir, Desdémone.

— Salut, Sanchez.

La fille exprimait dans sa voix autant de lassitude qu'en éprouvait Jessica. Elle affichait une expression de dégoût teinté d'ennui. M. Sanchez la dévisageait, comme s'il s'agissait d'une mathématicienne célèbre qu'il aurait invitée pour expliquer en quoi la trigonométrie pouvait changer votre vie.

Il se remit à distribuer ses livres, et la fille contempla la classe à la recherche d'une place libre. Quelque chose d'étrange se produisit alors : elle ôta ses lunettes noires, plissa les yeux vers Jessica, puis se dirigea droit vers la chaise à côté d'elle.

— Salut, dit-elle.

— Bonjour, je m'appelle Jessica.

— Ouais, dit-elle comme si c'était l'évidence même. (Jessica se demanda si elle l'avait pas déjà croisée dans un autre cours.) Moi, c'est Dess.

— Bonjour.

D'accord, elle se répétait. Mais que pouvait-elle dire d'autre?

Dess l'examinait, tâchant de se faire une opinion. Elle plissait les yeux comme sous une lumière trop forte. Ses doigts pâles tripotaient les perles jaunes translucides de son collier, les faisant glisser de gauche à droite. Les perles cliquetaient doucement.

Un manuel atterrit sur la table de Jessica, rompant le charme tissé par les doigts de Dess.

— Remplissez attentivement le formulaire collé à l'intérieur de la couverture, annonça M. Sanchez, *attentivement*, vous m'entendez? C'est *vous* qui serez tenus pour responsables des détériorations non signalées.

Toute la journée Jessica avait observé ce rituel. Il semblait que les livres représentent une espèce menacée à Bixby, Oklahoma. Les professeurs demandaient à leurs élèves de les feuilleter page après page, de noter la moindre marque ou déchirure. Sans doute y aurait-il une vérification impitoyable à la fin de l'année – et gare à ceux qui se seraient montrés assez criminels pour abîmer leurs livres! Jessica avait aidé son père à faire la même chose pour la maison qu'ils louaient, consignant le moindre clou dans le mur, vérifiant chaque prise électrique. Elle avait même noté que la porte automatique du garage ne se relevait pas complètement dans les quarante derniers centimètres...

Elle entreprit de parcourir son manuel, en examinant chaque page: elle n'avait pas tiré le meilleur exemplaire. « *Mots soulignés, page 7. Griffonnages sur un graphique, page 19...* »

— Alors, Jess, comment trouves-tu Bixby ?

Jessica tourna la tête. Sa voisine feuilletait son exemplaire sans rien trouver, apparemment. Son attention était plutôt portée sur Jessica.

Celle-ci avait son discours tout prêt ; « *Les gens ont l'air très gentils en Oklahoma, et il fait beaucoup plus chaud qu'à Chicago.* » Mais elle sentit que Dess attendait autre chose.

Elle haussa les épaules.

— L'eau du robinet a un drôle de goût.

Dess faillit sourire.

— Sans blague.

— Enfin, pour moi en tout cas. J'imagine qu'on s'habitue.

— Non. Je suis née ici, et je lui trouve toujours un drôle de goût.

— Super.

— Et ce n'est pas la seule bizarrerie du coin.

Jessica haussa les sourcils, mais Dess était maintenant plongée en plein travail. Elle était passée aux corrigés à la fin de son manuel. Son crayon sautait de l'une à l'autre sans logique apparente, tandis que sa main gauche jouait avec ses perles d'ambre. De temps en temps, elle griffonnait une correction, qu'elle notait ensuite dans le formulaire.

— *Plusieurs solutions débiles rectifiées d'une main intelligente, page 326*, murmura-t-elle. Qui vérifie ces trucs ? Je veux dire, quitte à verser dans les « nouvelles mathématiques» en fournissant les corrigés à la fin, autant que ce soient les bons.

Jessica n'en revenait pas : Dess était en train de vérifier les solutions du chapitre onze, alors qu'ils n'avaient même pas commencé le cours.

— Heu… ouais, je suis d'accord. L'année dernière, on a trouvé une erreur dans mon manuel d'algèbre.

— Une seule ? s'étonna Dess en fronçant les sourcils.

— Enfin, deux ou trois.

Dess hocha la tête. Jessica eut la sensation d'avoir mal répondu. Elle se demanda si Dess n'était pas en train de se payer sa tête.

Elle se reporta à son propre manuel. Le précédent propriétaire avait dû abandonner le cours, ou s'en désintéresser : le reste des pages était en parfait état. Peut-être que la classe entière n'était pas allée au bout du livre. Jessica l'espérait – rien que de feuilleter les dernières pages couvertes de formules et de graphiques alambiqués commençait à lui faire peur.

Dess marmonnait de nouveau :

— *Une magnifique esquisse de M. Sanchez, page 214.*

Elle griffonnait dans la marge et le consignait sur le formulaire.

— Tu sais, l'eau de Bixby n'a pas juste un goût. Elle donne aussi de drôles de rêves.

— Quoi ?

Dess répéta lentement, distinctement, comme si elle s'adressait à une imbécile.

— L'eau de Bixby : elle donne de drôles de rêves. Tu n'as pas remarqué ?

Elle fixait Jessica.

Jessica cligna des paupières, tâchant de trouver une repartie spirituelle. Mais elle commençait à se lasser du petit jeu de sa voisine, et secoua la tête.

— Euh… non. Avec le déménagement et tout ça, je suis trop fatiguée pour rêver.

— Vraiment ?

— Vraiment.

Dess haussa les épaules et se tut jusqu'à la fin du cours.

Jessica accueillit ce silence avec reconnaissance : elle avait assez de mal à suivre M. Sanchez. Après un survol du premier chapitre, il distribua les devoirs pour le lendemain. L'initiation à la trigonométrie s'annonçait d'ores et déjà comme le cauchemar de l'année, démontrant par là que l'école n'est jamais une partie de plaisir ; c'est une loi immuable.

Pour ne rien arranger, Jessica sentit tout au long du cours le regard de Dess peser sur sa nuque. Quand la sonnerie retentit, elle frissonna et se laissa entraîner dehors par le flot des élèves.

À n'en pas douter, l'Oklahoma ne comptait pas que des gens aimables…

3 |

L'ORAGE SILENCIEUX

Jessica fut tirée du sommeil par le bruit de la pluie qui venait de… s'interrompre. D'un coup.

Il ne s'était pas estompé progressivement, dans le plic-ploc des dernières gouttes, comme une gentille petite pluie ordinaire. L'instant d'avant, le crépitement de l'eau sur le toit la berçait ; la seconde suivante, un silence pesant s'abattait, comme si quelqu'un avait coupé le son à la télécommande.

Jessica ouvrit les yeux, s'assit et regarda sa chambre. Il lui fallut quelques secondes pour se rappeler où elle était. La pièce plongée dans la pénombre offrait des formes plus ou moins familières : son vieux bureau ne se trouvait pas dans le coin habituel, on avait rajouté une lucarne ; et il y avait trop de fenêtres, toutes plus grandes qu'elles n'auraient dû.

Puis, en voyant les cartons empilés un peu partout, les vêtements et les livres sortis, la mémoire lui revint. Jessica Day avec ses affaires se sentait comme une étrangère ici, nouvelle, perdue, comme une exilée dans sa nouvelle chambre, sa nouvelle maison. Désormais, elle et sa famille vivaient à Bixby, Oklahoma.

— Ah, c'est vrai, marmonna Jessica comme à regret.

Elle respira un grand coup, sentit une odeur de pluie. Rien d'étonnant – il avait plu toute la soirée. Mais ce silence soudain…

La pièce était inondée de lumière. Jessica la détailla, troublée par l'étrangeté de la scène. Cela ne tenait pas uniquement à la nouveauté de la maison ; la nuit même avait quelque chose de bizarre. La clarté semblait provenir de partout, froide et bleutée. Elle ne dessinait aucune ombre, et la chambre paraissait sans relief, pareille à une vieille photo défraîchie.

Qu'est-ce qui l'avait réveillée en sursaut ? Son cœur battait à vive allure.

Elle secoua la tête, se rallongea et ferma les yeux. Mais le sommeil ne venait pas. Elle se retournait dans son ancien lit, mal à l'aise, comme si ce meuble n'avait pas sa place à Bixby.

— Super, grommela-t-elle.

Exactement ce qu'il lui fallait : une bonne nuit sans sommeil ! pour se remettre du déménagement, de ses disputes avec sa petite sœur Beth et de ses déambulations à travers son nouveau lycée. Au moins la première semaine d'école touchait-elle à sa fin ; demain on serait vendredi.

Elle consulta son réveil : 00 h 07, mais il avançait, comme d'habitude, il devait plutôt être autour de minuit. Vendredi, enfin !

Une lueur bleutée baignait la chambre, presque aussi claire qu'avec la lumière allumée. La lune avait dû se lever. Pourtant, de hauts nuages sombres avaient roulé toute la journée au-dessus de Bixby, masquant le soleil. Même sous ce plafond nuageux le ciel paraissait immense en Oklahoma, dans cet État plat comme le dos de la main. Cet après-midi, son père avait dit que les éclairs que l'on apercevait à l'horizon atteignaient le Texas (depuis qu'il était sans emploi, il s'était mis à regarder la chaîne météo).

La clarté froide et bleutée s'intensifiait de minute en minute.

Jessica se glissa hors du lit. Le plancher était tiède sous ses pieds nus. Elle avança avec prudence parmi les cartons à moitié vidés. La fenêtre brillait comme une enseigne au néon.

En regardant dehors, elle sentit ses poings se crisper. Elle étouffa un petit cri.

Tout autour de la maison, l'air étincelait, scintillait comme s'il avait neigé.

Jessica se frotta les yeux, mais les diamants qui flottaient devant elle refusaient de disparaître.

Il y en avait des milliers, comme suspendus en l'air à des fils invisibles. Leur éclat emplissait la rue et la chambre. Certains flottaient à quelques centimètres de la vitre, sphères translucides parfaites, pas plus grosses que des perles.

Jessica recula et se rassit sur son lit.

— Drôle de rêve, dit-elle à voix haute.

Elle regretta aussitôt d'avoir parlé. Ces trois mots ne

firent que renforcer sa sensation d'être éveillée. La scène était bien réelle.

Et l'air, dehors, parsemé de diamants.

Elle se recoucha et s'efforça de se rendormir. De se rendormir *pour de bon*. Mais elle se sentait encore plus éveillée derrière ses paupières closes. Le contact des draps, le bruit de sa respiration, la chaleur de son corps qui s'accumulait lentement sous les couvertures, tout cela était trop vrai. La réalité de la situation l'excitait.

Et les diamants étaient si beaux. Elle voulait les voir de plus près.

Jessica finit par se relever.

Elle enfila un sweat-shirt et, en tâtonnant, trouva une paire de chaussures dans les cartons. Elle ouvrit la porte et se faufila dans le couloir. La maison encore peu familière prenait une allure inquiétante dans la lumière bleutée, avec ses murs nus et son salon vide, comme si personne n'habitait là.

L'horloge de la cuisine indiquait minuit pile.

Jessica marqua une pause dans l'entrée, soudain inquiète ; puis elle poussa la porte.

C'était forcément un rêve : des millions de diamants flottaient au-dessus de l'asphalte mouillé. Distants de quelques centimètres les uns des autres, ils se multipliaient à perte de vue, le long de la rue, dans le ciel – des petites gemmes bleues pas plus grosses que des larmes.

La lune était cachée. D'épais nuages s'étendaient toujours au-dessus de Bixby, massifs, immobiles, comme taillés dans le roc. La lumière semblait émaner des diamants, telle une invasion de lucioles bleues mystérieusement pétrifiées.

Jessica ouvrit grand les yeux. Le spectacle était si beau, si paisible et merveilleux que son anxiété se dissipa aussitôt.

Elle tendit la main pour toucher l'une des gemmes. Le petit diamant trembla, puis coula le long de son doigt, froid et mouillé. Il disparut, laissant derrière lui une traînée d'eau.

Jessica comprit alors ce que c'était. Une goutte de pluie ! Ces diamants étaient de *la pluie*, suspendue dans l'air. Plus rien ne bougeait dans la rue ni dans le ciel. Le temps s'était arrêté autour d'elle.

Ébahie, elle avança à travers la pluie figée. Les gouttes s'écrasaient doucement contre son visage, se liquéfiant à son contact. Elles mouchetaient son sweat-shirt, ruisselaient sur ses mains, pas plus froides qu'une averse de septembre. Jessica humait la fraîcheur, percevait l'électricité d'un éclair, la tension de l'orage immobile autour d'elle. Elle sentit ses poils se hérisser, et un rire monter en elle.

Mais elle réalisa qu'elle avait les pieds gelés, les chaussures trempées. Elle s'agenouilla pour comprendre. Le trottoir et la rue entière étaient parsemés de minuscules gerbes d'eau cristallisée, tel un parterre de fleurs givrées.

Une goutte de pluie flottait au ras de son nez. Jessica se pencha plus près, ferma un œil et regarda dans la petite sphère. L'alignement des maisons, le ciel pétrifié, le monde entier s'y dessinait inversé en cercles, comme dans une boule de cristal. Elle dut s'approcher trop près : la goutte trembla, tomba et une larme froide lui roula sur la joue.

— Oh!... murmura-t-elle.

Les choses étaient figées jusqu'à ce qu'elle les touche, et rompe le charme.

Jessica se releva en souriant, prête à découvrir d'autres merveilles.

La rue entière paraissait rayonner. Elle regarda sa propre maison. Le toit était semé d'éclaboussures, et un bloc d'eau cristallisé brillait à la jonction de deux gouttières. Tout était éteint à l'intérieur, pourtant les fenêtres luisaient doucement. D'une douce lueur bleue, qui semblait irradier des nuages immobiles au-dessus d'elle.

D'où peut-elle bien provenir? se demanda Jessica. Le temps arrêté n'était pas le seul mystère de ce rêve.

Puis Jessica vit qu'elle avait creusé une sorte de tunnel à travers la pluie, là où elle avait libéré les perles figées. On y reconnaissait sa silhouette, pareille à celle d'un personnage de dessin animé qui passe à travers un mur.

Elle rit et se mit à courir, attrapant les gouttes à pleines mains. Seule dans un univers de diamants.

Jessica Day se réveilla le lendemain matin avec un grand sourire.

Son rêve avait été si beau, si parfait. Peut-être cette ville était-elle moins sinistre qu'il n'y paraissait.

Le soleil inondait sa chambre, accompagné du bruit de l'eau qui gouttait des branches sur le toit. Même encombrée de cartons, la pièce lui semblait maintenant familière. Jessica, soulagée, demeura couchée un moment, savourant cet instant. Après les mois qu'elle avait mis à accepter l'idée du déménagement, les semaines à dire au revoir à tout le monde, les jours à emballer et déballer les affaires, elle avait enfin le sentiment que le tourbillon s'apaisait.

D'habitude, les rêves de Jessica manquaient de subtilité. La veille d'un contrôle, l'examen devenait un cauchemar. Quand sa petite sœur Beth la rendait folle, elle s'imaginait poursuivie par une géante de vingt étages de haut. Cette fois pourtant, Jessica sut que son rêve avait une signification profonde. Le temps s'était arrêté à Chicago. Sa vie s'était figée à l'instant où elle avait quitté ses amis et ce qui l'entourait, mais tout cela était fini désormais. Le monde pouvait se remettre à tourner, pour peu qu'elle accompagne le mouvement.

Sa famille et elle seraient peut-être heureux ici, après tout.

Et puis, on était vendredi.

Le réveil sonna. Elle repoussa ses couvertures et se leva d'un bond.

À l'instant où ses pieds touchèrent le sol, un frisson lui parcourut l'échine. Elle marchait sur son sweat-shirt, qu'elle avait laissé en boule au pied de son lit.

Il était complètement trempé

4

MÉLISSA

Tout en roulant, Mélissa sentait remonter dans sa bouche le goût infect du lycée.

À cette distance il avait une saveur acide, froide, comme celle du café que l'on garde une bonne minute sous la langue. Un goût dans lequel l'angoisse de la première semaine se mêlait à un ennui insondable, au milieu des relents âcres de temps perdu, qui suintaient littéralement des murs. D'ici deux kilomètres à peine, elle serait en mesure de distinguer les arômes particuliers : ressentiments, triomphes mesquins, mises à l'écart ou querelles minables pour dominer. Encore trois kilomètres et le brouhaha du lycée deviendrait insupportable, pareil à un crissement de scie contre son crâne.

Pour l'instant, elle se contenta de grimacer et d'augmenter le volume de l'autoradio.

Rex l'attendait devant chez lui, grand et dégingandé, drapé dans son manteau noir, comme planté sur le gazon sec. Même les touffes d'herbe folle semblaient lutter contre une force maligne invisible : depuis l'accident de son père, la maison se délabrait un peu plus chaque année.

Bien fait pour ce vieux salopard.

Mélissa se gara à cheval sur le trottoir. À voir l'herbe jaunie et le long manteau de Rex, elle s'attendait à sentir un vent glacial s'engouffrer quand il ouvrirait la portière. Mais ce soleil odieux avait dissipé le froid amené par l'orage de la veille.

On n'était encore qu'au début de l'automne, au début de l'année scolaire. Il restait trois mois avant l'hiver – neuf avant la terminale.

Rex grimpa et claqua la portière, attentif à ne pas s'asseoir trop près de Mélissa. Voyant que le volume sonore le faisait grimacer, celle-ci soupira et baissa le son d'un cran. Les hommes n'avaient aucun droit de se plaindre de sa musique. Le vacarme qui s'échappait de leurs têtes en permanence était cent fois plus infernal que n'importe quel groupe de trash, plus chaotique qu'une fanfare de gamins de dix ans armés de trompettes. Si seulement ils pouvaient s'entendre !

Cela dit, Rex n'était pas le pire des garçons. Il était différent, sur un autre canal, coupé du tumulte de la foule diurne. Ses pensées étaient les premières que Mélissa avait filtrées parmi la masse hideuse ; et elle parvenait toujours à le déchiffrer mieux que quiconque.

Elle percevait clairement son excitation, sa soif d'apprendre. Elle sentait son impatience, âpre, insistante, derrière son calme habituel.

Elle décida de le faire mariner un bout de temps.

— Chouette orage la nuit dernière !

— Ouais. Je suis sorti un moment, chercher un éclair.

— Moi aussi, un peu. Je me suis mouillée pour rien.

— On finira par en coincer un, tôt ou tard, cow-girl.

Ce surnom enfantin la fit ricaner, mais elle grommela :

— Mais oui. Tôt ou tard.

Enfants, lorsqu'ils n'étaient encore que deux, ils avaient essayé de mettre la main sur un éclair. Un trait de foudre qui aurait frappé pile au bon moment et serait descendu suffisamment près du sol pour qu'ils puissent le toucher.

Mélissa ne savait pas trop ce qu'ils en auraient fait. Rex ne le lui avait jamais dit. Elle sentait bien que lui-même n'était pas tout à fait sûr : il avait juste lu quelque chose quelque part à l'occasion d'une de ses excursions.

Le lycée se rapprochait. La clameur matinale des appréhensions et des réticences s'amplifiait. Le goût acide sur sa langue explosa en cacophonie dans son crâne. Mélissa allait mettre ses écouteurs pour tenir jusqu'aux cours. Elle ralentit la vieille Ford, espérant que sa place habituelle serait libre, derrière la benne à ordures sur le terrain vague en face du lycée. Se garer n'importe où ailleurs lui demandait de la concentration. Le parking de l'école était trop proche du maelström pour qu'elle puisse y circuler en toute sécurité.

— Je déteste cet endroit, lâcha-t-elle.

Rex la dévisagea. Ses préoccupations simples, limpides améliorèrent brièvement la situation, et Mélissa parvint à prendre une grande inspiration.

— Il y a une raison à tout ça, dit-il.

Une raison à quoi? À la souffrance qu'elle éprouvait tous les jours?

— Ouais. Me rendre la vie insupportable.

— Non. Je parle d'un truc important.

— Sympa!

Les amortisseurs de la Ford grincèrent quand elle prit son virage trop serré. Rex tressaillit, mais pas pour cette raison: il avait horreur de blesser Mélissa.

— Je ne voulais pas dire que ta vie n'est pas…

— Laisse tomber. Ne t'en fais pas, Rex. J'ai juste un petit peu de mal avec la rentrée.

— Ouais. Je vois ce que tu veux dire.

— Oh non, tu n'en as aucune idée.

La place de parking était libre. Elle se gara et coupa la radio. Ils étaient presque en retard: la foule fébrile se pressait vers les bâtiments. Une bouteille de bière se brisa sous un pneu quand la Ford s'immobilisa. Des élèves venaient traîner ici à l'heure du déjeuner, pour boire en cachette.

Rex fit mine de l'interroger, mais Mélissa le devança.

— Je l'ai sentie la nuit dernière. La nouvelle.

— Je le *savais*, s'exclama-t-il en cognant sur le tableau de bord.

Son excitation tranchait, nette et claire, sur le tumulte du lycée. Mélissa sourit.

— Bien sûr que non.

— D'accord, admit Rex. Mais j'en étais persuadé à quatre-vingt-dix-neuf pour cent.

Mélissa acquiesça, et sortit de la voiture en attrapant son sac.

— Tu étais vert de trouille à l'idée de te tromper. C'est comme ça que j'ai su que tu étais sûr de ton coup.

Rex cligna des paupières, imperméable à sa logique. Mélissa soupira. Depuis des années qu'elle écoutait ses pensées, elle comprenait deux ou trois choses à propos de Rex dont il n'avait pas conscience lui-même. Des choses, semblait-il, qui lui échapperaient toujours.

— En tout cas, oui, elle était dehors la nuit dernière, poursuivit-elle. Réveillée, et…

Autre chose. Mélissa ignorait quoi. Cette fille-là était différente.

Ils marchaient vers le lycée quand la dernière sonnerie retentit. Ce son mit fin au rugissement dans le crâne de Mélissa, le transformant en un grondement sourd à mesure que les professeurs ramenaient l'ordre et que des élèves tentaient de se concentrer. Pendant les cours, elle arrivait presque à penser de façon normale.

Elle se souvint de la nuit précédente, du silence imposant et de la lumière bleue. Au cours d'une nuit ordinaire, elle était assaillie par les rêves et les terreurs nocturnes du voisinage, mais par ce temps bleu et d'un silence total, Mélissa se sentait pleinement elle-même, libérée du chaos de la journée. Elle avait l'impression de posséder un talent, d'avoir reçu un don plus qu'une malédiction.

Dès son entrée dans la cantine, ce premier jour d'école, Mélissa avait compris ce que Rex attendait d'elle. Chaque nuit qui avait suivi, elle avait grimpé par la fenêtre sur le toit, et cherché.

Il fallait plusieurs jours, les premières fois. Et elle ignorait où habitait la nouvelle. Dess, par exemple, qui vivait à la lisière du désert, elle avait mis longtemps à la repérer.

La nuit dernière elle n'avait pas vu d'éclairs. À peine un embrasement figé derrière les nuages immobiles. Du coup, Mélissa avait quitté son perchoir trempé pour s'asseoir tranquillement.

Elle avait fait le vide en elle – c'était si simple, à minuit – et s'était projetée en esprit au-dessus de Bixby. Les autres étaient faciles à détecter. Mélissa reconnaissait leur marque, la manière dont chacun accueillait l'heure secrète, avec soulagement, excitation ou calme. Chacun se trouvait à sa place habituelle, et les autres entités qui hantaient le temps bleu se cachaient, domptées par la violence de l'orage.

Des conditions idéales pour la télépathie.

Il ne lui avait pas fallu longtemps cette fois. La nouvelle habitait tout près, ou devait être très puissante. Mélissa la localisa sans mal. Sa silhouette se détachait dans la nuit déserte. Mélissa sentit d'abord un frisson de surprise, puis un long moment de méfiance et enfin, un flot d'allégresse qui ne cessa de s'amplifier tout au long de l'heure. La jeune fille avait fini par rentrer se coucher sans se poser la moindre question.

Certaines personnes prenaient les choses plus facilement que d'autres.

Mélissa ne savait que penser au juste de Jessica Day. Derrière la confusion de ses émotions, elle percevait une saveur inattendue, un goût métallique, comme si elle tenait une pièce de monnaie sur le bout de sa langue. Elle sentait aussi une énergie débordante, mais cela venait peut-être de l'orage. Et bien sûr, les nouveaux regorgeaient toujours de sensations peu familières, de capacités inédites. Chacun des amis de Mélissa dégageait quelque chose de différent, après tout.

Mais Jessica Day était… plus que différente.

Mélissa récupéra ses écouteurs au fond de son sac. Elle en aurait besoin pour longer les couloirs jusqu'à sa salle de cours. En traversant la rue, Rex lui prit le bras, attentif à ne pas toucher sa peau. C'était une habitude lorsqu'ils approchaient du vacarme du lycée.

Il la retint pour laisser passer une voiture.

— Attention.

— Elle me fiche les jetons, Rex.

— La nouvelle?

— Oui. Elle est bizarre, même pour nous. Peut-être même pire que nous.

— Comment ça, pire?

— Normale.

Mélissa alluma son lecteur MP3 tout en marchant, et monta le volume à fond pour masquer le brouhaha. Elle tira sur ses manches afin de couvrir ses mains.

Arrivé à la porte, Rex se tourna vers elle. Il lui pressa l'épaule et attendit qu'elle le regarde. Lui seul savait qu'elle était capable de lire sur les lèvres.

— *Sais-tu où la trouver ?*

Elle répondit d'une voix douce – elle détestait les gens qui hurlaient pour couvrir la musique dans leurs oreilles :

— Sans problème.

— *Bientôt*, formula-t-il avec les lèvres.

Était-ce une question ou un ordre, elle se le demandait. Quelque chose la troublait dans son expression, ainsi que dans l'inquiétude qu'il dégageait.

— Pourquoi être si pressé ?

— *Je crois qu'il pourrait y avoir du danger. Plus que d'habitude. Je vois des signes.*

Mélissa fronça les sourcils, puis haussa les épaules.

— Pas de souci. Je la trouverai.

Elle se retourna et, sans attendre de réponse, s'engouffra dans les couloirs du lycée, littéralement avalée par le bâtiment, avec ses bouffées d'angoisse, d'ennui, de désir, d'énergie mal employée, d'inquiétude, de compétition, d'encouragement, de colère rentrée, de soupçons de gaieté et de crainte pure et simple.

5

LÉGENDES RURALES

— O.K., dix choses bizarres à propos de Bixby...
annonça Constanza Grayfoot.

Elle ouvrit son calepin et le posa sur ses genoux. Les
autres filles à la table de la bibliothèque attendirent en silence
qu'elle inscrive les chiffres de un à dix dans la colonne de
gauche.

— J'en ai une, commença Jen. En hiver, il y a deux ans,
on a retrouvé la voiture du shérif Michaels dans le désert.
(Elle se tourna vers Jessica en haussant les sourcils.) Sans
aucune trace de lui.

— Numéro un : la disparition du shérif Michaels,
déclara Constanza à voix haute tout en écrivant.

— On raconte qu'il a été abattu par des trafiquants de
drogue, intervint Liz. Ils ont une piste d'atterrissage secrète
dans le désert qui leur permet de faire venir leur marchan-
dise par avion depuis le Mexique. Il a dû la découvrir.

— Ou alors, ils l'ont soudoyé et ils l'ont doublé, dit
Constanza.

— Que dalle, rétorqua Jen. J'ai entendu dire qu'on avait retrouvé son uniforme, son insigne et son arme.

— Et alors ?

— Ainsi que ses dents et ses cheveux. Et même ses ongles. Je ne sais pas qui il a rencontré dans le désert, mais c'était bien pire que des trafiquants de drogue.

— C'est ce que les trafiquants de drogue aimeraient te faire croire.

— Oh, comme si tu en savais quelque chose…

Liz et Jen se tournèrent vers Jessica, quêtant du regard son arbitrage.

— Eh bien, commença Jessica, je suppose que… le désert est un coin dangereux.

— Tu l'as dit.

— Mesdemoiselles, lança une voix depuis le bureau d'accueil. Vous êtes censées étudier, et non bavarder.

— Je rédige un article pour le journal, madame Thomas, expliqua Constanza. C'est moi la rédactrice en chef cette année.

— Faut-il que toutes les autres participent ?

— Oui, absolument. Je recense dix informations qui font de Bixby une ville… spéciale. M. Honorio m'a conseillé de puiser à différentes sources. Alors, vous voyez, je suis en train de travailler, pas de bavarder.

Mme Thomas haussa un sourcil.

— Vos amies ont peut-être aussi du travail ?

— C'est la première semaine de cours, madame Thomas, fit remarquer Jen. On ne nous a pas encore donné grand-chose à faire.

La bibliothécaire promena son regard sur les cinq jeunes filles, puis se replongea dans son écran d'ordinateur.

— D'accord, concéda-t-elle. Mais que ça ne devienne pas une habitude. Et tâchez de baisser un peu la voix.

Le regard de Jessica tomba sur son livre de trigonométrie : elle avait du pain sur la planche. À la vitesse où la classe de M. Sanchez avait parcouru le premier chapitre, elle devait l'avoir déjà étudié l'an dernier. Jessica était à peu près certaine d'avoir saisi les principaux points abordés dans le chapitre deux, mais certains concepts lui échappaient. M. Sanchez semblait s'imaginer qu'elle suivait déjà des cours de niveau supérieur à Chicago et qu'elle était en avance sur le reste de la classe. Ce n'était pas tout à fait le cas.

Elle savait qu'elle aurait dû étudier, mais elle ne tenait pas en place. Elle débordait d'énergie. Son rêve de la nuit passée l'avait touchée sans savoir en quoi. Elle n'était même pas sûre d'avoir rêvé. Aurait-elle eu une crise de somnambulisme ? D'une manière ou d'une autre, elle avait trempé son sweat-shirt. Mais pouvait-on sortir sous une pluie battante sans se réveiller ? Peut-être était-elle tout simplement en train de perdre la tête.

Quoi qu'il se soit produit la veille, elle en avait conservé une sensation merveilleuse. Sa sœur Beth avait piqué sa crise habituelle au petit déjeuner, hurlant qu'elle n'avait pas l'intention de tout recommencer à Bixby après avoir passé treize ans de sa vie à Chicago. Son père, toujours au chômage, ne s'était même pas levé. Et sa mère, trop pressée d'arriver à l'heure à son nouveau poste, lui avait confié la tâche ingrate d'accompagner Beth. Pourtant, rien de tout cela n'avait dérangé Jessica. Les choses semblaient se mettre en place aujourd'hui. Elle connaissait enfin le chemin des différentes salles de cours, et ses doigts avaient retrouvé d'eux-mêmes le code de son casier. Tout lui paraissait soudain familier, comme si elle habitait Bixby depuis des années.

Jessica était donc bien trop excitée pour se plonger dans les mathématiques. Écouter ses nouvelles amies parler de l'étrange histoire de Bixby était autrement plus passionnant que la trigonométrie. Constanza était très belle, avec de longs cheveux bruns, un teint doré et un léger accent. Ses amies et elle étaient toutes en terminale, un an au-dessus de Jessica, mais celle-ci ne se sentait pas intimidée en leur présence. Comme si le fait de débarquer de la grande ville lui avait mystérieusement ajouté un an de plus.

— J'en ai une autre, dit Maria. Comment se fait-il qu'il y ait un couvre-feu ici?

— Numéro deux: ce foutu couvre-feu, énonça Constanza.

— Un couvre-feu? répéta Jessica.

— Ouais. (Jen leva les yeux au ciel.) À Tulsa, ou même dans le comté de Broken Arrow, on peut traîner dehors aussi tard qu'on veut. Mais à Bixby, passé onze heures, on se fait embarquer. À moins d'avoir plus de dix-huit ans. Vous ne trouvez pas ça bizarre?

— Ce n'est pas bizarre, c'est nul, se lamenta Liz.

— *Tout* est bizarre, à Bixby.

— Tout est *nul*, tu veux dire.

— Tu ne trouves pas cette ville bizarre, Jessica ? demanda Jen.

— En fait, non, pas tant que ça. Je l'aime bien.

— Tu rigoles ! s'exclama Liz. Après avoir vécu à Chicago ?

— Oui, c'est un joli coin. (Ces mots sonnaient étrangement dans sa bouche, mais Jessica s'aperçut qu'elle pensait ce qu'elle disait. La matinée avait été bonne, en tout cas. Les quatre filles la dévisageaient avec une expression incrédule.) Je reconnais qu'il y a deux ou trois trucs un peu curieux. Comme l'eau du robinet. Elle a un drôle de goût. Mais vous êtes déjà au courant.

Les autres la fixèrent d'un œil vide.

— Enfin, je suppose qu'une fois qu'on s'habitue... commença Jessica.

— Et la fosse aux serpents ? l'interrompit Maria.

Un silence soudain s'abattit sur la table. Jessica vit Mme Thomas lever la tête, intriguée, puis se pencher de nouveau vers son écran.

Constanza hocha la tête.

— Numéro trois : la fosse aux serpents.

Sa voix n'était qu'un murmure.

— O.K., dit Jessica. Si je comprends bien, la fosse aux serpents se range plutôt du côté bizarre que du côté nul ?

— Ouais, confirma Liz. Si tu crois à toutes ces salades.

— Quelles salades? s'enquit Jessica.

— Des histoires stupides, dit Liz. Comme quoi, il y aurait une panthère dans le coin.

— Elle s'est échappée d'un cirque itinérant voilà très, très longtemps, dit Jen. Il y a des articles là-dessus dans la bibliothèque, extraits du *Bixby Register* des années trente ou je ne sais quoi.

— Tu as vraiment *lu* ces articles? demanda Liz.

Jen leva les yeux au ciel.

— Non, d'accord, mais tout le monde sait bien que...

— Et cette panthère aurait, quoi, quatre-vingt-dix ans? l'interrompit Liz.

— Bon, ce n'était peut-être pas dans les années trente...

— De toute façon, Jessica, dit Liz. La fosse aux serpents n'est qu'un coin de désert où l'on ramasse quelques vieilles pointes de flèches. Qui datent des Indiens. Tu parles!

— On nous appelle les Américains d'origine, rectifia Constanza.

— Sauf que l'endroit existait déjà il y a très, très longtemps, intervint Maria, bien avant que les Blancs n'envoient ici toutes les tribus de l'Est. C'était un village des premiers habitants de l'Oklahoma – des hommes de l'âge de pierre, pas les Américains d'origine qui vivent encore ici aujourd'hui.

— Je suis d'accord, ça n'a rien de nul, dit Jessica. Mais j'ai un peu de mal à me représenter Bixby à l'âge de pierre.

— Il n'y a pas uniquement des pointes de flèches, expliqua Jen avec sérieux. On trouve aussi une grande pierre fichée dans le sol, au beau milieu de la fosse. Des gens s'y réunissent à minuit. Et si tu traces certains symboles avec des pierres, tu peux les voir changer sous tes yeux au douzième coup de minuit.

— Changer en quoi?

— Eh bien… les pierres ne se *transforment* pas, en fait. Elles restent des pierres. Mais on les voit bouger.

— Bien sûr, railla Liz.

— Mon grand frère y est allé l'année dernière, insista Maria. Ça lui a flanqué une de ces trouilles. Aujourd'hui encore il refuse d'en parler.

Jen se pencha en avant, murmurant d'une voix sépulcrale:

— Et même si les archéologues ont fouillé la place de fond en comble depuis longtemps, on continue de trouver des pointes de flèches en cherchant bien. Vieilles de mille ans pour certaines.

— De dix mille ans, tu veux dire.

Jessica et les autres se retournèrent vers le fond de la bibliothèque. C'était Dess, assise seule dans un coin.

— Si tu veux… dit lentement Liz, en levant les yeux au ciel. (Puis elle reprit en chuchotant:) En parlant de choses nulles…

Jessica jeta un coup d'œil à Dess, qui ne semblait pas avoir entendu. Elle s'était replongée dans son travail, derrière ses lunettes noires, comme si elle ne s'intéressait plus à leur conversation. Jessica ne l'avait pas remarquée plus tôt. Pourtant elle devait se trouver là depuis le début avec des tas de livres et de cahiers ouverts devant elle.

— Numéro quatre… reprit Constanza, le marqueur vert à la main.

Jen gloussa ; Maria lui fit signe de se taire.

Jessica baissa les yeux sur son manuel de trigonométrie. Elle souffrait d'une baisse d'énergie, habituelle avant le déjeuner. Elle aimait bien Constanza et sa bande, mais leur manière de se moquer de Dess lui laissait un goût amer dans la bouche. Elle regarda encore une fois du côté de Dess et aperçut posée devant elle l'*Initiation à la trigonométrie*. Si Dess était moitié aussi intelligente qu'elle le prétendait, cela vaudrait peut-être la peine de lui demander un coup de main.

— Il faut vraiment que je m'y mette, déclara Jessica. Ma mère m'a inscrite dans plusieurs cours de niveau supérieur. La trigo me file déjà la migraine.

— D'accord, dit Constanza. Mais si tu penses à un autre truc bizarre concernant Bixby, surtout, fais-moi signe. Puisque tu es nouvelle, ton opinion m'intéresse.

— Ça marche.

Jessica ramassa ses livres et se dirigea vers le fond. Elle s'assit dans un fauteuil face à Dess, de l'autre côté de la table basse. La jeune fille avait les pieds posés dessus. Des bracelets en métal ornaient ses chevilles revêtues d'un collant noir.

— Dess ?

La jeune fille leva vers elle un regard vide. Pas impatient, ni agacé, juste étrangement neutre derrière ses verres fumés.

Jessica fit mine d'extraire son manuel de trigonométrie de son sac.

— Est-ce que tu crois que tu pourrais… (Le regard de Dess était si froid, si implacable, que la question lui resta en travers de la gorge.) Je voulais juste te demander, heu… tu portes toujours des lunettes de soleil pour lire ?

— Pas toujours. On m'oblige à les retirer en classe.

— Oh. Mais pourquoi… ?

— Je souffre de photophobie. La lumière du soleil me fait mal aux yeux.

— Aïe. On devrait te laisser porter tes lunettes en classe, alors.

— Oui, mais ce n'est pas le cas. Le règlement ne dit rien là-dessus, mais on me l'interdit.

— Peut-être que si tu demandais un certificat médical à ton médecin…

— Et toi ? s'enquit Dess.

— Quoi, moi ?

— La lumière forte ne te fait pas mal aux yeux ?

— Non, répondit Jessica.

— C'est bizarre.

Jessica cligna des paupières. Elle commençait à regretter d'avoir quitté ses amies. Dess s'était révélée une voisine intéressante en cours de trigonométrie, mais pas très « amusante ». Les filles à la table de Constanza devaient se demander ce qu'elle faisait là, à discuter avec cette tordue. Jessica elle-même se posait la question.

Elle ne put s'empêcher de demander :

— Comment ça, bizarre ?

Dess baissa ses lunettes d'un centimètre pour plonger son regard dans celui de Jessica.

— Disons que parfois, *certaines* personnes qui débarquent à Bixby trouvent le soleil affreusement éblouissant. Elles ressentent soudain le besoin de porter des lunettes en permanence. Pas toi ?

— Pas moi. Ça arrive à beaucoup de gens ?

— Seulement quelques élus. (Dess remonta ses lunettes sur son nez.) C'est l'une des dix bizarreries de Bixby.

Jessica se renfonça dans son fauteuil en marmonnant :

— L'une des dix mille, tu veux dire.

Dess sourit et fit oui de la tête. Jessica se sentit mieux en voyant son expression amusée. En un sens, elle était désolée pour Dess. Les autres ne s'étaient pas montrées très gentilles, et cette fille avait l'air plutôt cool.

— Alors, Jessica, veux-tu connaître un truc *vraiment* bizarre à propos de Bixby ?

— Bien sûr. Je t'écoute.

— Regarde.

Dess prit un livre au hasard sur le rayonnage derrière elle et le tendit à Jessica.

— Hmm. *Vanity Fair*[1], sauf que ce n'est pas le célèbre magazine mais un pavé de cinq cents pages. J'en ai froid dans le dos.

---

1. *La Foire aux vanités* de William Makepeace Thackeray. (*N.d.T.*)

— Non, sur la tranche. Le sceau de Bixby.

Jessica se pencha sur le petit sticker blanc indiquant que le livre était la propriété de la bibliothèque du lycée. Sous le code-barres, elle découvrit un logo : un soleil flamboyant.

— Quoi, ce petit soleil ?

— Ce n'est pas un soleil mais une étoile.

— Le Soleil est une étoile. J'ai lu ça quelque part.

— Du point de vue astronomique, d'accord. Et pourtant, ce sont deux symboles différents. Tu vois les petites pointes ? Compte-les.

Jessica soupira et plissa les yeux sur le sticker.

— Treize ?

— C'est ça. Une étoile à treize branches. Ça ne te rappelle rien ?

Jessica fit la moue. Elle avait déjà vu ce symbole.

— Si, il y a le même dessin sur une plaque dans notre maison. Une très vieille plaque. L'agent immobilier nous a dit qu'autrefois, ce signe montrait que le propriétaire possédait une assurance. En cas d'incendie les pompiers refusaient d'intervenir sur les maisons qui n'en avaient pas.

— C'est ce qu'on raconte. Sauf qu'il y a une plaque de ce genre dans chaque maison de Bixby.

— Bon, les gens tenaient à protéger leurs maisons. Je ne vois rien d'étrange là-dedans.

Dess sourit de nouveau, en plissant les yeux.

— On trouve aussi une immense étoile dans le hall de l'hôtel de ville. Ainsi que dans le *Bixby Register*. Il y en a une

peinte sur le sol de chaque entrée de ce lycée. Toutes ces
étoiles comportent treize branches. (Elle se pencha en avant
et poursuivit rapidement, à voix basse.) Le conseil muni-
cipal compte treize membres, presque tous les escaliers de
la ville ont treize marches et il y a treize lettres dans *Bixby,
Oklahoma*.

Jessica secoua la tête.

— Et alors?

— Alors, Bixby est la seule ville, à ma connaissance,
où l'on considère le chiffre treize comme un porte-bonheur.
Je dirais même un porte-bonheur *indispensable*.

Jessica respira un grand coup. Elle regarda les rangées
de livres derrière la tête de Dess. Maintenant que celle-ci
les lui avait signalés, les petits stickers blancs se détachaient
nettement, alignés à perte de vue. Des centaines d'étoiles à
treize branches.

Elle haussa les épaules.

— D'accord, j'admets que c'est plutôt curieux.

— As-tu commencé à faire de drôles de rêves? lui
demanda Dess.

Un frisson parcourut l'échine de Jessica.

— Hein?

— Rappelle-toi, en cours de trigo. Je t'ai dit que l'eau
d'ici provoquait de drôles de rêves. Tu en as déjà fait?

— Oh, ça.

Jessica sentit son esprit s'emballer. Pour une raison
inconnue, elle ne tenait pas à parler de son rêve à Dess. Il
lui avait paru si parfait, si accueillant. Et elle était persuadée

que celle-ci parviendrait à gâcher la sensation de bien-être qu'elle en avait retirée. Mais la jeune fille la scrutait, attendant une réponse.

— Peut-être, reconnut Jess à contrecœur. J'ai fait une sorte de rêve… humide. Mais était-ce un rêve ? Je n'en suis pas sûre.

— Tu seras bientôt fixée. (Dess consulta l'horloge de la bibliothèque et sourit.) Dans quarante-trois mille deux cent sept secondes, pour être précise.

Sept secondes plus tard, la sonnerie annonçait l'heure du déjeuner.

6

JONATHAN

Jessica partit en direction de la cantine, l'estomac noué.

Dess l'avait encore prise à rebrousse-poil, comme le premier jour, en classe. Pas étonnant qu'elle ait peu d'amis. Chaque fois que Jessica croyait se rapprocher d'elle, l'autre lui lâchait une réflexion bizarre d'un petit air entendu, comme pour la persuader qu'elle possédait des pouvoirs psychiques. Jessica voulait simplement un peu d'aide en trigonométrie, pas un cours magistral sur les arcanes de Bixby, Oklahoma.

La jeune fille soupira. En y réfléchissant, Dess n'avait rien de mystérieux. Elle était pitoyable. Elle repoussait Jessica exprès. Les tours et détours étranges de sa conversation avaient probablement pour but de décourager ceux qui voulaient l'aborder. Il était plus facile de semer le trouble chez les gens que d'apprendre à les connaître et à leur faire confiance. Peut-être avait-elle peur, voilà tout.

Pourtant, Dess ne semblait pas du genre craintif; elle avait l'air plutôt calme et sereine. Ses remarques avaient beau être surprenantes, elle les assenait toujours avec une telle assurance. On aurait dit qu'elle vivait dans un monde à part, avec des règles qu'elle était seule à comprendre.

Ce qui revenait ni plus ni moins à dire qu'elle était folle.

D'un autre côté, Jessica avait l'intime conviction que Dess s'efforçait sincèrement de communiquer avec elle. Elle voulait l'aider à mieux appréhender cette ville, peut-être même la mettre en garde. Elle avait tapé dans le mille avec ses drôles de rêves. Bien sûr, ça ne signifiait pas pour autant qu'elle savait lire dans les pensées ni que l'eau de Bixby avait une quelconque influence. Beaucoup de gens faisaient des rêves étranges en s'installant dans un nouvel endroit. Dess avait probablement deviné que le déménagement de Jessica l'avait rendue nerveuse. Elle en profitait pour jouer avec ses nerfs.

Et elle y réussissait fort bien.

Quand Jessica atteignit la cantine, une vague odeur de graillon l'accueillit, dans un brouhaha. Elle ralentit le pas en passant le seuil. Elle connaissait toujours un début de panique au moment de s'asseoir. Elle ne voulait ni froisser ses nouvelles amies, ni se retrouver coincée avec des gens dont elle ne savait que penser.

Pendant un moment, Jessica regretta presque que son père ait décidé de lui préparer ses repas à la maison. Faire la queue au self lui aurait donné davantage le temps de choisir une place. C'était peut-être pour ça qu'on avait inventé les cantines scolaires. Ce n'était certainement pas pour leurs vertus nutritionnelles. Ou gustatives.

En promenant son regard à travers la salle, Jessica éprouva un pincement au cœur. Dess était déjà là, le regard braqué sur elle. Elle devait connaître un raccourci. Elle était attablée avec deux amis. Comme elle, ils étaient habillés tout en noir. Jessica identifia le garçon qu'elle avait rencontré le premier jour. Elle se remémora l'appréhension qu'elle avait ressentie à ce moment-là, terrifiée à l'idée d'être en retard. Elle en avait gardé un souvenir étrangement vivace ; l'image de ses lunettes tombant par terre restait gravée dans son esprit. Jessica s'étonna de n'avoir pas revu le garçon plus tôt. Avec son long manteau noir, on ne pouvait pourtant pas le manquer. Les élèves tels que Dess et lui étaient nombreux au Lycée public 141, mais il y en avait seulement trois ou quatre ici. Le soleil tapait trop fort en Oklahoma pour s'amuser à jouer les vampires.

À moins, bien sûr, qu'on souffre de « photophobie », comme Dess.

Le garçon fixait Jessica lui aussi, comme si Dess et lui s'attendaient à ce qu'elle les rejoigne. L'autre fille contemplait le plafond, des écouteurs sur les oreilles.

Jessica regarda autour d'elle en quête d'un autre endroit où s'asseoir. Elle avait eu sa dose avec Dess. Elle chercha Constanza ou Liz mais ne les vit nulle part, ni aucune des filles de la bibliothèque. Elle guetta en vain un visage familier. Les silhouettes se brouillèrent en une masse indistincte. La cantine devint floue ; le grondement des voix l'assaillait de toutes parts. Son hésitation se prolongea, puis se mua en confusion totale.

Pourtant elle continua à marcher, se rapprochant malgré elle de la table de Dess. La jeune fille et ses amis constituaient le seul élément stable de la salle. L'instinct de Jessica l'entraînait vers eux.

— Jessica ?

Elle se retourna, reconnut un visage dans le flou. Un visage très séduisant.

— Je m'appelle Jonathan, on est dans la même classe en physique. Tu te souviens ?

Son sourire tranchait sur le brouillard qui l'enveloppait. Ses yeux bruns étaient d'une netteté parfaite.

— Bien sûr. Jonathan. Le cours de physique.

Elle l'avait remarqué en classe, oh oui. Comme toutes les filles.

Jessica demeura plantée là, incapable de dire un mot. Mais au moins avait-elle cessé de marcher vers la table de Dess.

Son visage afficha brièvement une expression soucieuse.

— Tu veux t'asseoir ?

— Ouais. Ce serait bien.

Il conduisit Jessica vers une table libre, dans un coin à l'écart. Le vertige de Jessica commença à se dissiper. Elle s'assit avec soulagement, en posant son sac de classe et la boîte contenant son déjeuner.

— Ça va ? s'inquiéta Jonathan.

Jessica cligna des paupières. La cantine était redevenue normale : bruyante, animée, chargée d'effluves puissants, mais elle avait cessé de tanguer. Le malaise avait quitté la jeune fille aussi vite qu'il était apparu.

— Beaucoup mieux.

— J'ai cru que tu allais tourner de l'œil.

— Non, je… Enfin oui, peut-être. Dure semaine. (Jessica aurait bien voulu ajouter qu'elle n'avait pas pour habitude de se comporter comme une zombie en présence des garçons sexy, mais elle ne trouva pas la manière de le formuler.) Je crois que j'ai surtout besoin de manger.

— Moi aussi.

Jonathan déversa le contenu de son sac sur la table. Une pomme roula près du bord mais il n'y fit pas attention ; elle s'arrêta juste avant de tomber. Jessica haussa un sourcil en découvrant son déjeuner : trois sandwiches, un sachet de chips, une banane et un yaourt en plus de la pomme.

Jonathan était maigre comme un clou. Et affamé. Il rafla un sandwich au sommet de la pile, en arracha le film plastique et mordit dedans à pleines dents.

Jessica baissa les yeux sur son propre repas. Comme d'habitude son père, qui s'ennuyait le soir, lui avait préparé des choses compliquées. Fromage râpé, viande hachée, feuilles de laitue et rondelles de tomates étaient répartis dans un récipient à compartiments. Une boîte renfermait deux tacos, déjà émiettés. Jessica soupira, ôta les couvercles et entreprit de mélanger tous ces ingrédients.

— Miam, de la salade de tacos, dit Jonathan. Ça sent bon.

Jessica acquiesça. L'arôme des épices masquait l'odeur de la cantine.

— Mon père est à fond dans la cuisine mexicaine en ce moment.

— C'est meilleur que des sandwiches.

— Les tiens n'ont pas l'air mauvais.

— C'est du beurre de cacahuète sur du cake à la banane.

— Du beurre de cacahuète sur du cake à la banane? Tous les trois? C'est... un bon moyen de gagner du temps, j'imagine.

— Eh oui. Pas besoin d'éplucher les bananes. Je me réveille trop tard pour me préparer des trucs compliqués.

— Et tu vas manger ça?

Il haussa les épaules.

— C'est rien. Certains oiseaux avalent l'équivalent de leur propre poids toutes les heures.

— Désolée, je n'avais pas remarqué tes plumes.

Jonathan sourit. Il semblait amorphe. Ses yeux ne s'ouvraient jamais complètement, mais pétillaient quand il souriait.

— Hé, si je ne mange pas assez, c'est moi qui vais tourner de l'œil.

Il déballa son deuxième sandwich et en prit une énorme bouchée, comme si l'effort d'avoir autant parlé l'avait retardé.

— Au fait, dit Jessica, merci d'être venu à mon secours. J'aurais eu l'air malin, de tomber dans les pommes devant tout le lycée.

— Tu aurais toujours pu accuser l'eau du robinet.

Jessica retint sa fourchette à quelques centimètres de sa bouche.

— Toi aussi, tu lui trouves un drôle de goût ?

— Je suis là depuis deux ans, et je ne m'y habitue pas.

Jonathan frémit.

Jessica sentit le nœud qu'elle avait à l'estomac se desserrer un peu. Elle s'était mise à croire que tout le monde était né et avait grandi ici et qu'elle était la première étrangère qu'ils voyaient. Mais Jonathan venait d'ailleurs, lui aussi.

— D'où es-tu ? s'enquit-elle.

— De Philadelphie. Enfin, de la banlieue.

— Et moi de Chicago.

— Oui, je sais.

— Oh, c'est vrai. Tout le monde sait déjà tout sur moi.

Il sourit, haussa les épaules.

— Pas tout.

Jessica lui rendit son sourire. Ils se restaurèrent un moment en silence, indifférents au brouhaha. Sa salade de tacos était plutôt bonne, en fait. Avoir un père à la maison n'était peut-être pas si terrible. Et voir Jonathan engloutir ses sandwiches avait quelque chose de rassurant. Jessica se sentait détendue, comme jamais encore depuis son arrivée à Bixby. Elle avait l'impression d'être... normale.

— Dis-moi, Jonathan, commença-t-elle quelques minutes plus tard. Je peux te demander un truc?

— Bien sûr.

— À ton arrivée ici, n'as-tu pas trouvé Bixby un peu bizarre?

Jonathan mastiqua d'un air songeur.

— Je la trouve *toujours* bizarre, répondit-il. Et plus qu'un peu. Pas juste à cause de l'eau du robinet. Ou la fosse aux serpents ni toutes ces rumeurs. C'est...

— Oui?

— Disons que Bixby produit l'effet d'une ville... psychologique.

— Comment ça? dit-elle.

— Tu sais: quelque chose qui agit sur le psychisme. Parfois, on se sent malade alors que le corps va bien; tout se passe dans la tête. Bixby est exactement comme ça: psychologique. Le genre d'endroit qui provoque de drôles de rêves.

Jessica faillit s'étrangler sur sa bouchée de salade.

— Quoi? s'inquiéta Jonathan.

— Mm-mmm, marmonna-t-elle avant de s'éclaircir la voix. On n'arrête pas de me dire des trucs qui n'ont aucun... (Jess s'interrompit.) Qui ont un peu trop de sens.

Jonathan la dévisagea avec attention, en plissant encore plus ses yeux bruns.

— D'accord, j'imagine que ça peut paraître cinglé,

admit Jessica. Mais par moments j'ai l'impression que les gens d'ici devinent tout ce qui me passe par la tête. Une personne, au moins. Une fille – la moitié du temps, elle raconte n'importe quoi, mais l'autre moitié, on dirait qu'elle lit dans mes pensées.

Jessica réalisa que Jonathan avait cessé de manger et la scrutait.

— Ça a l'air dingue, hein? s'inquiéta-t-elle.

Il haussa les épaules.

— J'avais un ami à Philadelphie, Julio, qui allait consulter une diseuse de bonne aventure chaque fois qu'il avait de l'argent à claquer. C'était une vieille femme qui tenait une boutique dans le centre-ville ; celle avec une main en néon violet dans la vitrine.

Jessica s'esclaffa.

— On avait ça aussi à Chicago. Des voyantes.

— Sauf que celle-là ne lisait pas dans les lignes de la main ni dans une boule de cristal, dit Jonathan. Elle se contentait de parler.

— Avait-elle vraiment des pouvoirs?

Jonathan secoua la tête.

— Ça m'étonnerait.

— Tu n'y crois pas?

— Pas en ce qui la concerne, en tout cas. (Jonathan reprit une bouchée mais poursuivit.) J'ai accompagné Julio une fois, pour voir, et je crois que j'ai compris comment ça marchait. La vieille femme balançait des propos sans queue ni tête, jusqu'à ce qu'un truc fasse tilt dans le cerveau de

Julio. Alors, elle continuait dans cette voie, et lui, commençait à parler et à tout lui déballer : ses rêves, ses soucis, sans rien cacher. Il croyait qu'elle lisait dans ses pensées mais, en fait, elle l'amenait juste à lui dire ce qu'il avait sur le cœur.

— Belle arnaque.

— Je ne sais pas, dit Jonathan. Je veux dire, ça semblait vraiment faire du bien à Julio. Quand il était sur le point d'entreprendre quelque chose de stupide, personne ne pouvait le raisonner, sauf cette femme. Comme cette fois où il avait décidé de s'enfuir de chez lui. C'est elle qui l'a fait changer d'avis.

Jessica posa sa fourchette.

— Donc, elle ne se contentait pas de lui piquer son fric.

— Eh bien, le plus drôle, c'est que je ne suis pas certain qu'elle savait ce qu'elle faisait. Peut-être qu'elle suivait juste son instinct, et qu'elle croyait vraiment détenir des pouvoirs, tu vois ?

Jessica sourit, en reprenant une bouchée de salade, d'un air songeur. La personne que lui décrivait Jonathan lui faisait penser à Dess. Ses questions indiscrètes et ses déclarations bizarres, prononcées avec une telle assurance, auraient presque convaincu Jessica que Dess n'était pas comme les autres. Cela l'impressionnait. Mais peut-être que tout était dans sa tête ; que si Jessica croyait en Dess, cela revenait à lui conférer une sorte de pouvoir, en un sens.

— Donc, poursuivit Jonathan, il est possible que cette fille dont tu parles ne soit pas complètement cinglée. Même si elle a une manière différente de communiquer, il se peut qu'elle ait quelque chose d'important à te dire.

— Ouais, possible, grommela Jessica. Sauf que si c'est ça, j'aimerais bien qu'elle crache le morceau une bonne fois pour toutes.

— Tu n'es peut-être pas prête à l'entendre.

Jessica lui adressa un regard surpris. Jonathan la fixait d'un air innocent, avec ses grands yeux bruns amorphes.

— Tu as peut-être raison, dit-elle en haussant les épaules. Mais en attendant, je ne vais pas me prendre la tête pour ça.

— Ça me paraît raisonnable.

Ces mots firent sourire Jessica tandis que Jonathan attaquait son dernier sandwich. Il était grand temps que quelque chose paraisse raisonnable.

7 | 00h00

LA LUNE SOMBRE

Cette nuit-là, elle refit le rêve bleu.

Jessica était allongée dans son lit sans dormir, à fixer le plafond, soulagée que le week-end soit enfin arrivé. Le lendemain matin, elle terminerait de déballer ses affaires. Elle commençait à se lasser de fouiller parmi les cartons entassés dans sa chambre. Peut-être qu'un peu d'organisation lui donnerait l'impression de davantage contrôler les choses.

Elle devait être plus fatiguée qu'elle ne le pensait. Le sommeil la prit en traître, au point que le rêve parut se substituer d'un coup à la conscience. Comme si elle avait cligné des yeux, et que tout avait changé. Soudain, le monde était bleu et le silence semblait avoir englouti le ronflement sourd du vent.

Elle s'assit, tous ses sens en alerte. La chambre baignait dans la lumière bleue désormais familière.

— Super, dit-elle doucement. Ça recommence.

Cette fois-ci, Jessica ne perdit pas son temps à tenter de se rendormir. Si c'était un rêve, elle dormait déjà. Or, *c'était* un rêve. Sans doute.

Sauf qu'il y avait cette histoire de sweat-shirt mouillé, bien sûr.

Elle se glissa hors des couvertures et enfila un jean et un tee-shirt. Découvrir la pluie immobile avait été un moment fabuleux. Quelles merveilles son subconscient lui avait-il encore mijotées ?

Jessica regarda autour d'elle. Tout était net et clair. Elle se sentait très calme, les sens en alerte. Cet état s'appelait un « rêve lucide », avait-elle appris dans un cours de psycho l'année précédente.

La lumière était exactement la même que dans son dernier rêve : un indigo profond se reflétait sur la moindre surface. Il n'y avait pas d'ombre, aucun coin obscur. En se penchant sur l'un de ses cartons, elle put inspecter son contenu grâce à la clarté parfaite. Chaque objet semblait luire de l'intérieur.

Elle jeta un coup d'œil par la fenêtre. On ne voyait pas de diamants volants cette fois-ci, rien qu'une rue paisible, immobile et plate comme dans un tableau.

— Pas très gai, murmura-t-elle.

Jessica se glissa jusqu'à sa porte et l'ouvrit avec précaution. Quelque chose dans ce rêve lui soufflait de respecter ce silence ; dans la lumière bleutée, le monde prenait une dimension secrète, mystérieuse. Un lieu où se déplacer en catimini.

Au milieu du couloir la porte de Beth était entrouverte. Jess la poussa prudemment. La chambre de sa sœur était éclairée par cette lumière bleue envahissante. On y retrouvait le même silence, la même absence de relief. Les vêtements de Beth s'étalaient en désordre sur le sol. Sa sœur n'avait pas encore déballé ses affaires.

Une silhouette menue se dessinait sur le lit, emmaillotée dans un drap. Beth dormait mal depuis le déménagement, ce qui la mettait constamment sur les nerfs.

Jessica s'approcha du lit et s'assit sur le bord, en pensant au peu de temps qu'elle avait passé avec Beth depuis leur installation à Bixby. Au cours des mois qui avaient précédé le déménagement, les colères de sa sœur la rendaient impossible. Beth avait freiné des quatre fers à l'idée de quitter Chicago, et le reste de la famille avait pris l'habitude de l'éviter à cause de sa mauvaise humeur.

C'était peut-être pour ça que son rêve l'avait conduite ici. Alors qu'elle-même devait s'habituer à Bixby, Jessica n'avait guère eu le loisir de se soucier de ses proches.

Elle tendit le bras et posa une main légère sur l'épaule de sa sœur endormie.

Elle eut un brusque mouvement de recul, et tressaillit. Le corps sous les couvertures avait quelque chose d'étrange. Il était ferme, aussi dur que celui d'un mannequin dans une vitrine.

Soudain, la lumière bleue lui parut très froide.

— Beth?

Sa sœur ne fit aucun geste. Jessica avait l'impression qu'elle ne respirait plus.

— Beth, réveille-toi. (Sa voix se brisa.) Arrête tes bêtises. Tu veux bien?

Elle secoua sa sœur.

Le corps dans le lit demeura inerte. Il semblait lourd et rigide.

Jessica posa une main hésitante sur les couvertures, ne sachant trop si elle tenait à découvrir ce qui se cachait dessous, mais incapable de s'en empêcher. Elle se leva, se recula d'un pas et tira d'un coup sec sur le drap.

— Beth ?

Sa sœur était d'une pâleur de craie, aussi immobile qu'une statue. Ses yeux entrouverts scintillaient comme des billes de marbre vert. Une de ses mains, blanche et figée, se crispait sur les couvertures en désordre.

— Beth ! sanglota Jessica.

Sa sœur ne bougeait pas.

Jessica allongea le bras et lui toucha la joue. Elle la trouva glaciale, dure comme la pierre.

Elle tourna les talons et s'enfuit hors de la chambre, en trébuchant sur les piles de vêtements. Elle ouvrit la porte en grand et courut le long du couloir.

— Maman ! Papa ! hurla-t-elle.

Mais quand elle parvint devant leur chambre, le cri mourut dans sa gorge. La porte lui barrait le passage, froide et impersonnelle.

Pas le moindre bruit. Ils devaient pourtant l'avoir entendue.

— Maman !

Toujours pas de réponse.

Et si elle ouvrait et découvrait ses parents dans le même état que Beth? L'image de sa mère et de son père livides, figés comme des statues – des cadavres – la paralysait. Sa main tremblait sur la poignée, mais ses doigts refusaient de se refermer.

— Maman? appela-t-elle plus doucement.

Personne ne lui répondit.

Jess se recula de la porte, soudain terrifiée à l'idée qu'elle puisse s'ouvrir, et que quelqu'un en sorte. Ce cauchemar pouvait lui réserver le pire. La maison lui paraissait totalement étrangère désormais, bleue, froide et dépourvue de vie.

Elle pivota et regagna sa chambre au pas de course. En passant devant la porte de Beth restée ouverte, elle détourna les yeux, trop tard pour éviter la forme inerte allongée dans le lit.

Jessica s'engouffra dans sa chambre et verrouilla la porte derrière elle avant de s'effondrer par terre en sanglots. Son premier rêve avait été si fascinant! Celui-ci était un épouvantable cauchemar. Elle ne voulait plus qu'une chose – se réveiller.

Domptant sa terreur, elle s'efforça de démêler la signification de ce rêve. Jessica s'était laissé absorber par ses propres problèmes, au point de ne pas voir l'évidence. Beth avait besoin d'elle. Jessica devait cesser de se comporter comme si les colères de sa sœur visaient uniquement à l'agacer.

Elle remonta les genoux contre sa poitrine, dos à la porte, en se promettant d'être plus gentille avec sa sœur à partir du lendemain.

Et elle attendit que le rêve prenne fin.

Avec un peu de chance, il n'en resterait aucune trace dans le monde réel, cette fois-ci. Pas de Beth pétrifiée, pas de sweat-shirt trempé…

Lentement, les larmes de Jessica se tarirent et le rêve bleu se drapa autour d'elle. Rien ne changeait. Rien ne bougeait. La lumière froide, fixe, provenait de partout et de nulle part ; le silence était absolu. On n'entendait pas même les craquements habituels de la maison pendant la nuit.

Si bien qu'en entendant gratter à la fenêtre, Jessica leva aussitôt la tête.

Elle aperçut une silhouette, petite forme sombre à contre-jour dans la lueur de la rue, qui passait et repassait en ondulant, puis s'arrêta pour taper au carreau.

— Minou ? fit Jessica, d'une voix enrouée à force d'avoir pleuré.

Les yeux du chat reflétèrent la lumière, avec un éclat violet.

Jessica se releva, des fourmillements dans les jambes. Elle s'avança lentement pour ne pas effrayer l'animal. Au moins y avait-il quelque chose de vivant dans cet affreux cauchemar. Elle n'était plus seule. Elle s'approcha de la fenêtre et jeta un coup d'œil au-dehors.

Il était mince et souple, brillant et noir. Les muscles roulaient sous son poil ; il semblait aussi fort qu'un chat sauvage – une sorte de guépard noir miniature. Elle se demanda même s'il s'agissait bien d'un animal domestique. Son père lui avait dit qu'on trouvait des lynx et autres petits félins aux environs de Bixby. Mais celui-ci semblait docile. Il allait et venait sur l'appui de la fenêtre, en la fixant de ses yeux implorants.

— D'accord, d'accord, dit-elle.

Elle ouvrit la fenêtre, acceptant de poursuivre son rêve. Le chat la heurta au passage en sautant dans la pièce. Elle sentit ses muscles noueux comme des cordes contre sa cuisse.

— Espèce de brute, marmonna-t-elle, de quelle race es-tu ?

Elle n'avait jamais vu de chat aussi fort.

La bête bondit sur le lit, flaira l'oreiller, décrivit un petit cercle sur les draps en pagaille puis sauta dans l'un des cartons. Elle l'entendit fouiller dans ses affaires.

— Hé, dis donc !

Le chat ressortit du carton et la fixa, soudain méfiant. Il recula lentement, les muscles tendus, frémissant, prêt à détaler.

— Là, là, minou.

Était-ce un chat sauvage ? Il ne se comportait pas du tout comme un animal domestique.

Elle s'agenouilla et lui offrit sa main. La bête s'approcha pour la renifler.

— C'est bon.

Jessica tendit un doigt et le gratta d'un geste d'affection sur le sommet du crâne.

— *Rrrrrrrr.*

Ce grondement sourd, terrible parvint des entrailles de la créature, aussi caverneux qu'un feulement. La bête battit en retraite avec le ventre au ras du sol.

— Hé, tout doux, dit Jessica en ramenant sa main avec précaution.

Les yeux du chat noir étaient emplis de terreur. Soudain, il pivota et courut jusqu'à la porte de la chambre, et gratta en poussant des petits cris plaintifs. Jessica se leva pour aller lui ouvrir.

Le chat fila le long du couloir et disparut. Elle l'entendit miauler devant la porte d'entrée. Mais son cri, aigu, ressemblait plutôt à celui d'un oiseau blessé.

Jessica jeta un regard surpris vers sa fenêtre ouverte.

— Pourquoi n'a-t-il pas tout simplement…? commença-t-elle, avant de secouer la tête.

Sauvage ou non, ce chat était cinglé.

Évitant la chambre de Beth, elle suivit les cris de la créature le long du couloir et jusqu'à l'entrée. Le chat se recroquevilla sur lui-même en la voyant mais ne s'enfuit pas. Jessica lui ouvrit avec des gestes lents. À peine avait-elle entrebâillé la porte que le chat se faufilait à l'extérieur et détalait.

— À plus, lui lança-t-elle.

Elle soupira. Génial : la seule autre créature vivante de ce cauchemar tremblait devant elle.

Jessica ouvrit la porte en grand et sortit sous le porche. Le vieux bois grinça. C'était plutôt rassurant dans ce monde silencieux. Elle respira à fond, puis s'avança dans l'allée, pas mécontente de laisser derrière elle sa maison étrangère et sans vie. Dehors, la lumière bleue semblait plus pure, plus saine. Elle regrettait les diamants, néanmoins. Elle chercha des yeux quelque chose qui soit suspendu en l'air – une feuille morte, une goutte de pluie… En vain. Elle leva la tête vers le ciel pour voir s'il y avait des nuages.

Une lune géante était en train de se lever.

Jessica avala sa salive, prise de vertige devant ce spectacle saisissant. La demi-lune gigantesque engloutissait presque le quart du ciel, s'étalant au-dessus de l'horizon à la manière d'un coucher de soleil. Mais elle n'était pas rouge, ni jaune, ni d'aucune autre couleur identifiable. Elle ressemblait à une tache sombre imprimée sur sa rétine, comme si Jessica avait contemplé le soleil trop longtemps. La lune flamboyait en plein ciel, incolore, noire comme le charbon et aveuglante.

Jessica se protégea le visage puis baissa le regard vers le sol, la tête douloureuse, les yeux larmoyants. En clignant des paupières pour chasser ses larmes, elle vit que la pelouse avait retrouvé sa couleur habituelle : pendant quelques secondes, elle lui parut d'un beau vert vigoureux. Puis le bleu profond l'envahit de nouveau, pareil à une goutte d'encre qui s'étale dans un verre d'eau.

Jessica songea aux éclipses, lorsque le soleil, assombri, continuait à briller, rendant aveugles les personnes qui le fixaient sans protection. L'image persistante de l'énorme lune continuait à flotter sous ses yeux, altérant la rue tout entière. Elle eut encore un aperçu fugace des couleurs normales – le vert, le jaune, le rouge – au coin de sa vision ; puis, peu à peu, son mal de tête s'estompa et les teintes bleutées reprirent leurs droits.

Jessica releva la tête en direction de la lune et, en un flash, comprit quelle était sa vraie couleur : une obscurité lumineuse, un néant affamé, qui aspirait toute lumière. La lueur bleue de son rêve ne provenait pas des objets eux-mêmes, malgré ce qu'elle avait cru dans un premier temps. Pas plus qu'elle n'émanait de la lune géante au-dessus d'elle. Ce n'était qu'un vestige, la dernière trace de lueur : la lune sombre avait aspiré toutes les autres couleurs du spectre lumineux.

Elle se demanda si la lune – ou le soleil noir, l'étoile, quel que soit son nom – se trouvait déjà dans son rêve la dernière fois, masquée par les nuages. Et que signifiait-elle ? Jusqu'à présent, Jessica avait cru que ses rêves recelaient un sens caché. Mais cette lune, c'était simplement… bizarre.

Un cri retentit dans la rue.

Jessica pivota. Elle aperçut le chat, de nouveau, qui imitait cette fois les piaillements aigus d'un macaque ; assis au bout de la rue, il la fixait d'un œil noir.

— Encore toi ? dit-elle, en frissonnant. Tu en fais du boucan, pour une si petite bête.

L'animal miaula une fois de plus, l'air mécontent. Sous la lune, ses yeux renvoyaient des reflets indigo et son pelage semblait encore plus noir, sombre et profond comme un ciel nocturne.

Il geignit de plus belle.

— C'est bon, j'arrive, marmonna Jessica. Pas la peine de devenir psychologique.

Elle s'avança vers l'animal. Celui-ci l'attendit afin de s'assurer qu'elle le suivait, puis partit en trottinant. Ils s'éloignèrent ainsi, le chat se retournant plusieurs fois pour regarder, en poussant tour à tour des miaulements, des aboiements ou des grondements. Il conservait une bonne avance, soucieux de tenir Jessica à distance mais attentif à ne pas la perdre de vue.

Le chat la conduisait à travers un monde désert. On ne voyait aucun nuage dans le ciel, ils ne croisèrent aucune voiture ni aucun promeneur; il n'y avait que la lune, qui s'élevait lentement. Les lampadaires ne diffusaient aucune lumière autre que cet éclat bleu uniforme. Les habitations semblaient abandonnées, en proie à un silence de mort que seuls troublaient les cris du chat.

Au début, Jessica reconnut quelques maisons devant lesquelles elle passait pour se rendre au lycée, mais le quartier paraissait étrange sous cet éclairage, et elle fut bientôt tout à fait perdue.

— J'espère que tu sais où tu vas, lança-t-elle au chat.

En guise de réponse l'animal s'arrêta, huma l'air et émit une sorte de cri qui ressemblait à celui d'un bébé. Sa queue fouettait l'air avec nervosité.

Jessica s'approcha doucement. Le chat se tenait assis au milieu de la rue. Ses muscles tressaillaient sous son poil.

— Ça va ? s'inquiéta Jessica.

Elle s'agenouilla près de lui et fit mine de le caresser. Il se tourna vers elle, le regard fou, et elle battit en retraite.

— D'accord. Je ne te toucherai pas.

À présent, son pelage ondulait, comme si des serpents grouillaient sous sa peau. Il avait les pattes repliées contre le corps, la queue tendue bien raide.

— Oh, pauvre minou.

Elle regarda autour d'elle, cherchant de l'aide. Mais bien sûr, il n'y avait personne.

Puis la métamorphose commença pour de bon.

Devant Jessica pétrifiée d'horreur, le corps du chat s'allongea, s'affina, tandis que sa queue grossissait comme s'il y tassait sa masse. Ses pattes rentrèrent dans ses flancs. Sa tête se réduisit, s'aplatit, des crochets sortirent de sa gueule. L'animal s'étira, s'étira encore, jusqu'à devenir une mince colonne de muscles.

Il se retourna face à elle. Ses longs crochets scintillaient sous la lune sombre.

Le chat s'était transformé en serpent. Son pelage noir brillait, et il possédait toujours ses grands yeux inexpressifs, mais c'était tout ce qui subsistait du matou qu'elle avait suivi en confiance.

Quand il cligna ses yeux de chat et cracha dans sa direction, Jessica fut enfin libérée de la terreur qui la paralysait. Elle poussa un petit cri et recula précipitamment sur ses fesses. La chose frémissait toujours, comme si elle ne possédait pas encore la pleine maîtrise de son nouveau corps, mais son regard suivit la jeune fille.

Jessica bondit sur ses pieds et recula un peu plus. La créature se mit à se tordre sur elle-même, à décrire des cercles tout en produisant des sons affreux à mi-chemin entre un sifflement et le cri d'un chat qu'on étrangle. Comme si le félin se trouvait piégé à l'intérieur du serpent, et s'efforçait d'en sortir.

Un frisson parcourut Jessica de la tête aux pieds. Elle détestait les serpents. Elle détourna la tête et consulta du regard les maisons voisines, tâchant de s'orienter. Elle devait rentrer chez elle et se remettre au lit. Elle en avait assez de ce rêve où tout devenait horrible et répugnant. Elle devait y mettre un terme avant qu'il n'empire encore.

Un autre sifflement s'éleva derrière elle, et le cœur de Jessica s'emballa.

Des silhouettes noires, presque invisibles, sortirent des pelouses environnantes : d'autres serpents, par douzaines, tous identiques à la créature qu'elle avait suivie. Ils vinrent se placer autour d'elle.

En un instant, elle fut encerclée.

— Je ne le crois pas, dit-elle, lentement en détachant chaque mot dans l'espoir de rendre ces paroles plus vraies.

Elle esquissa quelques pas dans la direction supposée de sa maison, en évitant de regarder les formes grouillantes à ses pieds. Les serpents crachèrent et reculèrent. Comme le chat, ils avaient peur d'elle.

Pendant un bref instant, Jessica se souvint des paroles de sa mère à propos des bêtes sauvages avant leur départ de Chicago. « N'oublie pas qu'elles ont au moins aussi peur que toi. »

— Ouais, tu parles, grommela-t-elle.

Ces animaux n'avaient pas assez de cervelle pour connaître la moitié de sa peur.

Pourtant elle continua à s'avancer, d'un pas lent et résolu, et les serpents s'écartèrent sur son chemin. Peut-être avaient-ils vraiment peur, finalement.

Trois pas supplémentaires et elle se retrouva hors du cercle. Elle s'éloigna à vive allure et mit presque un pâté de maisons entre elle et les serpents.

Elle se retourna alors pour leur lancer :

— Poules mouillées !

Un nouveau bruit s'éleva dans son dos.

C'était un grondement sourd, semblable à celui du métro aérien qui passait à moins d'une rue de leur ancien immeuble. Jessica l'entendit moins qu'elle ne le sentit avec la plante des pieds. Le son lui remonta le long de la colonne vertébrale avant d'exploser à ses oreilles.

— Quoi, encore ? grogna-t-elle en faisant volte-face.

Elle se figea à la vue d'une ombre à l'autre bout de la rue.

Elle ressemblait au chat en beaucoup plus gros, l'échine presque à hauteur d'yeux. Des muscles redoutables roulaient sous son pelage, évoquant le grouillement d'une multitude de serpents.

Une panthère noire. Jessica se souvint de l'histoire de Jen à la bibliothèque, sauf que l'animal ne donnait pas l'impression de s'être échappé d'un cirque.

Jessica entendit le chœur des serpents se rapprocher derrière elle. Elle se retourna. Les silhouettes noires se déployaient en éventail, comme pour la pousser vers la panthère.

Elles ne semblaient plus avoir peur du tout.

LE GROUPE DE RECHERCHE

— Il se passe un truc grave.

Ces mots de Mélissa, prononcés d'une voix douce, teintèrent le silence du temps bleu d'un sentiment d'urgence. Dess jeta un coup d'œil vers ses amis debout dans le terrain vague. Mélissa avait le nez en l'air et la lune de minuit se mirait dans ses yeux. Rex, comme toujours, traînait à côté d'elle, pendu à ses lèvres.

Dess attendit la suite mais Mélissa se contentait de fixer le ciel, à écouter de tout son être, à goûter l'air immobile.

Dess haussa les épaules et reporta son regard par terre, sur les débris métalliques que Rex avait sélectionnés pour elle. D'après lui, aucune main autre qu'humaine ne les avait touchés. S'il voyait juste, ils risquaient d'affronter de sérieuses difficultés cette nuit, et elle aurait besoin d'acier propre pour travailler.

Naturellement, Rex pouvait se tromper. Pour sa part, Dess ne voyait aucune raison de s'inquiéter. Vendredi 5 septembre, le cinquième jour du neuvième mois. La combinaison du neuf et du cinq n'avait rien de particulièrement néfaste : ces chiffres, soustraits, additionnés ou multipliés, donnaient quatre, quatorze ou quarante-cinq, ce qui présentait un ensemble harmonieux quand on aimait les quatre, comme Dess, mais rien de dangereux. En plus, les mots « cinq septembre » comportaient treize lettres en tout. Il n'y avait pas de nombre plus favorable. De quoi se plaignait-on ?

Néanmoins, Rex demeurait soucieux.

Dess leva la tête. La lune sombre paraissait normale ; elle s'élevait à son rythme habituel, lent et majestueux, irradiait comme toujours sa somptueuse lueur bleu pâle ; jusque-là, Dess n'avait rien repéré de menaçant. Elle n'avait guère aperçu de grouilleurs. Pas le moindre, en fait pas même du coin de l'œil.

C'était d'ailleurs plutôt étrange. Elle promena son regard sur la décharge envahie de carcasses de voitures, de tôles ondulées et de pneus – autant d'endroits où les grouilleurs auraient pu se cacher. Sauf que rien ne bougeait. Même invisibles, ces fichues bestioles produisaient généralement des couinements, des petits cris. Mais il n'y en avait aucune à proximité cette nuit-là.

— C'est presque trop tranquille, dit-elle en prenant une voix de méchant comme au cinéma.

De l'autre côté de la décharge, Mélissa gémit et, en dépit de la chaleur du temps bleu, Dess frissonna.

Il était temps de se mettre au travail.

Elle s'accroupit et entreprit de trier la ferraille, à la recherche de pièces d'acier sans trace de rouille. Elle préfé-

rait l'inoxydable, brut et brillant. Les formes tordues, irré-
gulières du métal jouaient aussi un rôle dans le processus de
sélection. Le long voyage depuis l'usine jusqu'à la décharge
avait érodé les pièces selon certaines proportions – petites
baguettes élégantes, vieux engrenages au crantage harmonieux... Dess étala joyeusement ses trouvailles devant elle.
L'acier prenait vie dans le temps bleu. Elle voyait des reflets
de lune traverser le métal puis s'estomper, comme si un feu
d'artifice éclatait à la surface.

Chaque fois qu'elle choisissait un morceau de métal,
Dess le portait à sa bouche et lui soufflait un mot.

— Damasquinerie.

Certaines grosses pièces étaient magnifiques, mais elle
devait pouvoir les transporter sans peine, même en prenant
ses jambes à son cou. Elle sélectionna ainsi une bague de
petite taille, parfaite, et rejeta un long tuyau.

— Subséquemment, murmura-t-elle.

Les mots se bousculaient dans sa tête, parfois vides de
sens, des vocables qu'elle avait retenus en raison du nombre
ou de la disposition de leurs lettres. Les mots n'étaient pas
son domaine de prédilection, sauf lorsqu'ils se télescopaient
avec les chiffres et les schémas, comme sur un plateau de
Scrabble. Elle les déployait alors avec maîtrise pour atteindre
un « mot compte triple ».

Ce qu'elle cherchait cette nuit-là était assez simple :
des mots de treize lettres afin de décupler le pouvoir de ces
pièces d'acier.

— Fossilisation, baptisa-t-elle une longue vis dont le filetage s'enroulait précisément trente-neuf fois autour de la tige.

Les bottes de Rex crissèrent derrière elle. Elle ne l'avait pas entendu approcher, perdue dans les délices de l'acier.

— Si tu étais un grouilleur, tu aurais pu me mordre, murmura-t-elle.

Ces saletés ne *mordaient* pas tout à fait, bien sûr, mais cela s'en rapprochait.

— Mélissa l'a localisée, annonça Rex.

Dess éleva un vieil enjoliveur à la lumière. Le reflet d'une flamme bleuâtre courait sur son bord.

— Pas trop tôt.

— Elle dit qu'il faut nous dépêcher. Des ennuis en perspective. Il y a un gros truc là dehors, méchant. Un truc qui lui donne une sérieuse migraine.

Dess approcha l'enjoliveur de ses lèvres.

— Customisation.

— Fini ? demanda Rex.

— Oui. J'ai tout arsenalisé.

— Allons-y, alors.

Elle se releva, prit l'enjoliveur dans une main et glissa le reste de la ferraille dans ses poches. Rex tourna les talons et partit en petites foulées vers le vélo. Il bondit sur le sien et se lança à la poursuite de Mélissa qui filait déjà en direction du centre-ville. *Évidemment*, se dit Dess. Jessica Day était une citadine. Ses parents pouvaient se permettre de vivre en ville, loin du désert et de la puanteur des puits de pétrole ou des bêtes crevées au bord de la route.

Dess marcha avec calme jusqu'à son vélo, l'enfourcha et se mit à pédaler derrière ses amis. Sans se presser. Mélissa ne pouvait pas rouler trop vite, de peur de perdre le fil ténu qu'elle suivait dans la toile psychique de minuit. Et même avec son vieux vélo à une seule vitesse, Dess les aurait battus l'un et l'autre à la course. Elle n'aurait aucun mal à les rejoindre avant que les choses ne tournent au vinaigre.

Elle espérait seulement qu'ils n'étaient pas en train de s'affoler pour rien, et que Rex ne leur faisait pas sa petite parano de la rentrée. Certes, il y avait une nouvelle midnighter en ville, mais cette situation n'était pas inédite et les conséquences n'avaient jamais été, à proprement parler, cataclysmiques.

Rex avait quand même paru très inquiet au téléphone. Dess avait donc choisi ses chaussures en conséquence. Des chaussures de course.

L'enjoliveur tintait joyeusement dans le panier de son vélo. Dess sourit. Quoi qu'ils découvrent sur place, elle saurait y faire face. Elle sentait le poids rassurant du métal dans ses poches, et savait sans les compter combien d'armes elle avait préparées cette nuit-là.

— Treize, le chiffre porte-bonheur, dit-elle.

À mesure qu'ils s'approchaient du centre-ville, les vastes terrains en friche et les lotissements en construction cédèrent la place aux centres commerciaux et aux stations-service ainsi que, bien sûr, à son magasin favori : le

7-Eleven[1], fraction également connue comme zéro virgule six, trois, six, trois, répété à l'infini.

Devant, Mélissa avait forcé l'allure, comme si elle était certaine de sa destination. Il y avait bel et bien de mauvaises vibrations dans l'air. Dess se mit à pédaler un peu plus vite, en zigzaguant entre les rares véhicules figés au milieu de la route.

Rex venait juste derrière Mélissa, et s'assurait qu'elle ne percute pas une voiture pendant qu'elle circulait le nez en l'air. Mélissa était beaucoup moins maladroite dans le temps bleu, mais Rex continuait à la couver. Après huit ans de baby-sitting, certaines habitudes étaient difficiles à perdre.

Dess repéra une forme dans le ciel. Elle planait en silence – un grouilleur ailé. À la lueur de la lune, elle put distinguer les doigts de ses ailes. Car celles-ci, à l'instar des ailes des chauves-souris, étaient en réalité des mains : leurs quatre doigts articulés se déployaient comme les montants d'un cerf-volant, reliés par une membrane plus fine qu'une feuille de papier.

Le grouilleur émit un petit cri étranglé qui évoquait l'ultime couinement d'un rat écrasé à coups de botte.

Plusieurs réponses fusèrent. Ils étaient toute une bande, une douzaine au complet. Ils volaient dans la même direction que Dess et ses amis.

Dess avala sa salive. Il s'agissait sans doute d'une coïn-

---

1. Littéralement « Sept à Onze », chaîne d'épiceries ouvertes de 7 h à 23 h et parfois même vingt-quatre heures sur vingt-quatre. (*N.d.T*)

cidence. À moins que ces saletés se contentent de les suivre. On en voyait toujours en train de rôder, intrigués par le petit groupe d'humains qui visitait le temps bleu. Ils leur créaient rarement des difficultés.

Elle leva la tête. Un autre vol de grouilleurs avait rejoint le premier. Elle dénombra d'un seul coup d'œil les silhouettes sombres et translucides : elles étaient vingt-quatre maintenant.

Dess entreprit de compter à haute voix pour se calmer.

— *Uno, dos, tres…*

Elle savait compter en vingt-six langues, et en étudiait quelques autres. La litanie des chiffres avait un effet apaisant sur ses nerfs, et elle ne manquait jamais de s'amuser des différentes manières de gérer les dizaines.

Elle passa nerveusement à l'ancien anglais.

— *Ane, twa, thri, feower, fif…*

On était le 5 septembre. Il ne pouvait rien arriver d'important cette nuit, elle en était certaine. Neuf plus cinq égale quatorze. Et c'était le deux cent quarante-huitième jour de l'année, et deux plus quatre plus huit égale quatorze. Pas aussi favorable que treize, mais rien d'inquiétant non plus.

D'autres silhouettes continuaient d'arriver dans les airs. Leurs cris moqueurs provenaient de toutes les directions.

— *Un, deux, trois, quatre*, énonça-t-elle en français, plus fort, pour couvrir la voix des grouilleurs. (Elle décida de continuer jusqu'à quatre-vingts – quatre fois vingt.) *Cinq, six, sept…*

On retrouvait ce chiffre sept dans une poignée d'autres langues en marge du français. (En anglais, un « septagon » est un polygone à sept côtés, lui rappela incidemment son cerveau.) Sept, comme dans « septembre ». Elle se souvint alors que voilà très, très longtemps, il y avait plus de mille ans, septembre était le septième mois de l'année et non le neuvième.

Le 5 septembre avait été jadis le cinquième jour du septième mois.

Et sept plus cinq égale douze.

— Oh, merde, jura Dess.

Elle décolla les fesses de sa selle, tira sur son guidon et se mit à pédaler de toutes ses forces. Mélissa et Rex avaient pris beaucoup trop d'avance. Par une nuit aussi dangereuse, Dess aurait dû passer en tête avec son arsenal.

Un long cri perçant retentit au-dessus d'elle, et un autre mot de treize lettres lui vint aussitôt à l'esprit.

— Épouvantement, murmura-t-elle en moulinant de plus belle.

LE FEULEMENT

La panthère noire rugit encore.

Le son semblait assez fort pour faire basculer Jessica à la renverse. Pourtant, ses pieds restèrent cloués au sol. Elle aurait voulu se retourner, s'enfuir, mais une terreur très ancienne s'était saisie de ses muscles et la paralysait. Les crocs, énormes, du félin, son rugissement affamé, sa langue rose toute frétillante tétanisaient la jeune fille.

— Rêve ou pas rêve, fit doucement Jessica, je n'aimerais pas me faire dévorer.

Les yeux du fauve renvoyaient des reflets violets au clair de lune. Sa gueule trembla, commença à se modifier tandis que ses canines s'allongeaient comme deux grands couteaux. La bête se tapit, se ramassa sur elle-même en une boule de muscles, la tête basse et la queue bien droite, pareille à un sprinter sur le point de s'élancer. Ses muscles frémirent ; ses pattes énormes grattaient le sol. Le crissement des griffes sur l'asphalte parvint jusqu'aux oreilles de Jessica, lui fit courir un frisson le long de l'échine.

Puis le félin devint tout à coup mince et vif comme une flèche et bondit sur elle.

Dès qu'elle le vit bouger, Jessica fut libérée du charme. Elle tourna les talons et s'enfuit en direction des serpents.

Ses pieds nus claquaient douloureusement contre l'asphalte et les serpents lui barraient la rue en demi-cercle, si bien qu'elle obliqua sur le côté, vers la pelouse. Les reptiles tentèrent de lui couper la route, en se faufilant à travers le gazon trop dru d'une vieille bicoque délabrée. Jessica serra les dents sans ralentir, imaginant à chaque foulée que des crochets lui transperçaient la plante des pieds. Quand elle fut à la hauteur des serpents, elle fit un grand bond. L'air frémit autour d'elle, et son élan parut l'emporter sur une distance inouïe. Elle bondit encore deux fois, en levant les genoux bien haut, jusqu'au trottoir de l'intersection suivante.

Jessica trébucha en atterrissant sur le bitume mais se mit à courir aussitôt. Elle avait laissé les serpents derrière elle – et sans se faire mordre ! En revanche, les pas de la panthère se rapprochaient. Jessica était peut-être rapide dans ce rêve, mais la créature qui la poursuivait l'était plus encore.

Les images de documentaires animaliers lui revinrent en mémoire : de grands félins s'abattaient sur leur proie, refermant les crocs sur elle avant de l'éventrer avec leurs pattes arrière qui tournoyaient comme les lames d'un mixeur. Les guépards étaient les animaux les plus rapides du monde ; les panthères ne devaient pas figurer très loin derrière. Elle ne pourrait jamais distancer sa poursuivante en ligne droite. Mais elle se souvint de la manière dont les antilopes échappaient aux guépards : en courant en zigzag, de sorte que les prédateurs, plus lourds et moins agiles, les dépassaient et roulaient au sol avant de se relever pour une nouvelle attaque.

L'ennui, c'est que Jessica n'était pas une antilope.

Elle risqua un coup d'œil derrière elle. La panthère n'était plus éloignée que de quelques bonds. De près, sa masse était terrifiante. Jessica obliqua vers un saule devant une maison, un vieil arbre qui couvrait toute la façade. Elle décompta en partant de cinq tandis que les pattes du félin foulaient la pelouse. À *un*, elle se jeta par terre derrière le tronc.

La panthère fit un bond qui l'entraîna par-dessus Jessica. L'ombre noire occulta la lune géante pendant une fraction de seconde. Le souffle de son passage s'accompagna d'un déchirement, comme si l'air même se fendait.

Jessica redressa la tête. Le grand félin s'arrêta en dérapant dans la rue suivante ; ses griffes arrachèrent à l'asphalte un crissement à glacer le sang. La jeune fille distingua alors les marques à quelques centimètres de son visage et retint son souffle. Le tronc portait trois longs sillons juste à l'endroit où s'était trouvée sa tête. Le bois mis à nu parut blanc un moment, avant que la lune ne le pare de lumière bleue.

Elle se leva et détala.

Il y avait un passage étroit entre deux maisons, une allée emplie d'herbes folles et de formes sombres. Jessica s'y engouffra. Elle survola d'un bond la silhouette rouillée d'une vieille tondeuse appuyée contre un mur, puis s'immobilisa soudain.

Le fond du passage était barré par un grillage.

Jessica courut jusqu'à lui. Elle n'avait aucune autre issue.

Elle sauta le plus haut possible, crochetant ses doigts dans les mailles métalliques pour se hisser. Ses pieds cherchèrent avec rage un appui ; ses orteils s'agrippaient plus facilement que des chaussures, mais non sans douleur. Au moins la clôture était-elle récente, le métal, lisse et sans la moindre marque de rouille.

Tout en escaladant, Jessica entendit le feulement de la panthère résonner entre les deux maisons. La créature traversait les hautes herbes et soulevait les feuilles mortes. Jessica parvint au sommet du grillage et se laissa basculer de l'autre côté, pour se retrouver soudain au niveau de sa poursuivante.

La bête n'était plus qu'à quelques mètres. Leurs regards se croisèrent. Au fond des grands yeux indigo, Jessica crut reconnaître une intelligence ancienne, hautaine, cruelle. Elle sut avec une certitude absolue, au-delà de toute contradiction, qu'elle n'avait pas affaire à un simple animal ; mais à quelque chose de bien pire.

Sauf si, bien sûr, tout cela n'était qu'un rêve : si la créature maléfique qui la fixait n'existait que dans sa tête, était entièrement…

— Psychologique, murmura-t-elle doucement.

Le fauve leva une patte énorme pour lacérer les doigts de Jessica, toujours accrochés au grillage. Elle lâcha prise et se jeta en arrière. Tandis qu'elle tombait, une cascade d'étincelles bleues explosa devant elle, éclairant les crocs luisants de la panthère et les deux maisons de part et d'autre. Le grillage tout entier parut s'embraser, chaque centimètre de métal parcouru d'une flamme bleutée. Le feu semblait attiré par la patte de la créature. Il s'enroula en spirale autour des longues griffes retenues un instant dans les mailles.

Puis la créature réussit à se dégager ; tout devint sombre.

Jessica roula au sol en souplesse. La pelouse avait amorti sa chute. Elle battit des cils ; le grillage s'était imprimé sur sa rétine, et des diamants bleus flamboyants brouillaient sa vue. Une odeur de poils roussis la suffoqua.

Elle contempla ses propres mains avec ébahissement. Elles étaient indemnes, à l'exception des marques rouges triangulaires qu'elle s'était faites en grimpant. Si le grillage était électrifié, pourquoi ne l'avait-il pas brûlée comme le fauve ? Les étincelles s'étaient éteintes, sauf sur sa rétine, et le grillage semblait toujours intact. Il était surprenant que la panthère ne l'ait pas déchiré d'un coup de griffes.

Jessica contempla sa poursuivante à travers le métal, en tâchant d'éclaircir sa vision. La panthère secouait la tête, confuse, et recula vers l'entrée du passage en boitillant légèrement. Elle leva sa patte et la lécha, sortant sa langue rose entre ses deux longs crocs. Puis ses yeux indigo fixèrent Jessica. L'intelligence glaciale était toujours présente. Le félin se détourna et trottina hors de sa vue.

Il allait faire le tour de la maison.

Jessica éprouva une bouffée de reconnaissance envers le grillage. Le fauve aurait pu le franchir d'un bond, car il ne dépassait pas les deux mètres cinquante, mais les étincelles bleues l'avaient effrayé.

Son répit serait de courte durée, cependant. Elle ne pouvait pas rester là. Jessica roula sur ses mains et ses genoux et fit mine de se relever.

Un sifflement jaillit de l'herbe haute. Elle vit deux yeux violets scintiller sous la lune.

Elle ramena sa main devant son visage juste à temps. Une sensation glacée lui traversa le bras jusqu'au coude, telles de longues aiguilles givrées enfoncées sous sa peau. Jessica bondit sur ses pieds et s'écarta en trébuchant de la cachette du serpent.

Ses yeux s'écarquillèrent de terreur en se posant sur sa main.

Le serpent s'y cramponnait par des filaments noirs sortis de sa gueule, comme si sa langue s'était scindée en une centaine de fils qui seraient venus s'entortiller autour des doigts et du poignet de Jessica. Le froid remontait lentement dans le bras de la jeune fille, et gagnait son épaule.

Sans réfléchir, Jessica balança le serpent contre le grillage. Les mailles métalliques s'embrasèrent de nouveau, mais de façon beaucoup moins spectaculaire cette fois. Des flammes bleues jaillirent autour de sa main, puis enveloppèrent le serpent agité de convulsions. La créature enfla, son fin pelage noir tout hérissé ; puis, les filaments se dénouèrent et le serpent s'écroula sans vie dans l'herbe.

Jessica s'adossa au grillage, épuisée.

Elle sentait le métal tiède animé de pulsations, comme si l'acier avait pris vie. Les sensations affluèrent de nouveau dans son bras, sous forme de picotements ; la circulation se rétablissait dans son membre.

Jessica se tassa sur elle-même, soulagée, laissant le métal supporter son poids un moment.

Puis elle repéra un mouvement du coin de l'œil. Un trou apparut sous le grillage, comme un chien aurait pu en creuser. Des serpents en surgissaient.

Jessica s'enfuit au pas de course.

L'arrière-cour était de dimension modeste, bordée d'une palissade. Jessica y serait peut-être à l'abri de la panthère, mais les serpents pouvaient se dissimuler n'importe où dans l'herbe haute. Elle escalada la porte du fond et se laissa tomber de l'autre côté, dans une étroite allée pavée.

Le grand félin était reparti, et Jessica détala le long de l'allée dans le sens opposé. Elle se demanda si elle parviendrait jamais à rentrer à la maison.

— Rien qu'un rêve, se rappela-t-elle.

Ces mots ne lui furent d'aucun réconfort. L'adrénaline pompée dans son sang, la douleur aiguë au bout de ses doigts après l'escalade du grillage, le martèlement de son cœur dans sa poitrine – tout cela ne paraissait que trop réel.

L'allée débouchait sur une grande rue. Un panneau indicateur se dressait au coin et Jessica courut le consulter, en regardant autour d'elle à la recherche de la panthère.

— Kerr et Division, lut-elle. (Ces lieux se trouvaient sur le chemin du lycée. Elle n'était donc pas si loin de chez elle.) Si j'arrive à semer les serpents poilus et le prédateur géant, tout ira bien, marmonna-t-elle. Pas de problème.

La lune était haute. Elle se déplace plus vite que le soleil durant la journée, songea Jessica. Il avait dû s'écouler moins d'une demi-heure depuis le début de ce rêve. L'astre semblait gigantesque ; il occultait le ciel, au point que seule une mince bande d'horizon restait visible tout autour. Sa masse énorme faisait paraître le monde plus petit, comme si on avait posé un toit sur le ciel.

Jessica vit des silhouettes se découper à contre-jour devant la lune.

— Super, dit-elle. Manquait plus que ça.

Des créatures volantes planaient doucement, sans battre des ailes. Elles ressemblaient à des chauves-souris, mais plus grosses, avec un corps plus allongé, comme si une bande de rats s'étaient vu pousser des ailes. Plusieurs d'entre elles tournoyèrent au-dessus de Jessica en poussant de petits cris sourds.

L'avaient-elles repérée ? Étaient-elles, comme toutes les autres créatures de ce rêve, à la poursuite de Jessica Day ?

À fixer l'astre sombre, la jeune fille eut de nouveau mal à la tête, avec la sensation de se retrouver piégée sous l'élément dévoreur de lumière. Elle ramena les yeux au ras du sol et partit vers chez elle en petites foulées, guettant le fauve du coin de l'œil.

Les formes volantes continuèrent à la suivre.

Il ne fallut pas longtemps pour qu'elle entende de nouveau le feulement de la panthère.

La silhouette noire se coula sur son chemin quelques intersections plus loin, juste entre elle et sa maison. Jessica se souvint de l'intelligence qu'elle avait lue dans les yeux du fauve lorsqu'ils s'étaient trouvés face à face de part et d'autre du grillage. Le félin semblait savoir où elle vivait et comment l'empêcher d'y retourner. Et ses petits amis ondulants s'étaient sans doute déjà placés de manière à lui barrer le passage.

C'était sans espoir.

La créature trottina vers elle en se dandinant, sans se précipiter. Elle savait maintenant à quelle allure Jessica pouvait courir, et comprenait qu'il lui suffirait d'aller à peine un peu plus vite pour l'attraper ; elle ne se laisserait pas piéger une seconde fois.

Jessica chercha des yeux un endroit où se cacher, une issue. Mais ici, dans la rue principale, les maisons étaient beaucoup plus espacées, avec de larges pelouses de chaque côté. Elles n'offraient aucun recoin dans lequel se glisser, aucune palissade à escalader.

Puis elle repéra sa planche de salut, à un pâté de maisons dans la direction opposée à la panthère : une voiture.

Le véhicule était immobile au beau milieu de la rue, ses phares éteints, mais il y avait quelqu'un à l'intérieur.

Jessica courut jusqu'à la voiture. Le conducteur pourrait peut-être la ramener chez elle. La panthère ne parviendrait pas à l'atteindre à l'intérieur. C'était son unique chance.

Elle jeta un coup d'œil derrière elle. Le félin courait, non pas à toute vitesse, mais assez vite pour réduire à chaque foulée la distance qui les séparait. Jessica prit ses jambes à son cou. Ses pieds nus cognaient douloureusement contre l'asphalte, mais elle ignora la douleur. Elle se savait capable de parvenir à la voiture.

Il le fallait.

Le souffle rauque de la panthère et le trottinement feutré de ses pattes lui emplirent les oreilles. Les sons, de plus en plus proches, lui parvenaient comme des murmures à travers ce monde bleu.

Jessica sprinta sur les derniers mètres, tendit la main vers la portière du passager, et tira violemment sur la poignée.

Elle était verrouillée.

— Aidez-moi ! cria-t-elle. Ouvrez-moi !

Puis Jessica découvrit le visage de la conductrice. À peu près du même âge que sa mère, elle avait les cheveux blonds et le front un peu plissé, comme si elle se concentrait sur la route. Mais sa peau était blanche tel du papier. Ses doigts agrippaient le volant sans bouger. Comme Beth, elle était figée, sans vie.

— Non ! s'écria Jessica.

Un sifflement lui parvint de dessous. Il y avait des serpents sous la voiture.

Sans réfléchir, Jessica bondit sur le capot. Elle se retrouva nez à nez avec la conductrice de l'autre côté du pare-brise, qui la fixait de ses yeux vides comme ceux d'une statue.

— Non, sanglota Jessica, en martelant le capot.

Épuisée, vaincue, elle roula sur elle-même afin d'affronter la panthère.

La bête n'était plus qu'à quelques foulées. Elle s'arrêta, gronda, et ses deux crocs scintillèrent à la lueur de la lune sombre. Jessica comprit qu'elle était fichue.

Puis il se produisit une chose incroyable.

Une minuscule soucoupe volante fila droit sur la panthère. L'objet laissait dans son sillage une traînée d'étincelles bleues dans l'air électrique. Jessica sentit ses cheveux se hérisser, comme si la foudre était tombée tout près. Les yeux de la panthère étincelèrent, immenses, pris de panique, leurs reflets étaient dorés plutôt qu'indigo.

L'engin explosa en une flamme bleue qui enveloppa le félin géant. Celui-ci tournoya sur lui-même et fila sans demander son reste, le pelage en feu. Il détala le long de la rue en émettant une cacophonie de cris – des rugissements de lion, des piaillements d'oiseau, le miaulement d'un chat soumis à la torture. Il disparut au coin de la rue, tandis que ses hurlements s'estompaient en un ricanement hideux semblable à celui d'une hyène blessée.

— Waouh! fit une voix, puissante magie de la Customisation.

Un gloussement vint ponctuer cette exclamation sans queue ni tête.

Jessica se tourna vers la voix, clignant des yeux afin de chasser ses larmes et son incrédulité. À quelques mètres de là, Dess venait d'envahir son rêve.

— Salut, Jess, lui lança-t-elle. Ça va ?

Jessica ouvrit la bouche, mais aucun son n'en sortit.

Dess se tenait sur un vieux vélo déglingué, un pied sur l'asphalte et l'autre sur une pédale. Elle portait un blouson de cuir par-dessus son habituelle robe noire et s'amusait à lancer en l'air ce qui ressemblait à une pièce de monnaie.

Jessica entendit un sifflement sous elle. Plusieurs rubans noirs se tortillaient en direction de Dess.

— Des serpents, réussit-elle à bredouiller.

— Des grouilleurs, en fait, corrigea Dess avant de jeter sa pièce dans leur direction.

La pièce tinta sur le sol au milieu des serpents, arrachant une étincelle bleue à l'asphalte, et ils battirent en retraite sous la voiture dans un concert de petits couinements.

Deux autres cyclistes apparurent.

C'étaient les amis de Dess à la cantine. Le garçon aux verres épais venait en tête, sauf qu'il ne portait plus ses lunettes. Son long manteau tourbillonna autour de ses chevilles quand il s'immobilisa, hors d'haleine. L'autre fille aperçue à la table de Dess les rejoignit.

Jessica les dévisagea tous les trois. Ce rêve devenait de plus en plus bizarre.

— Vous avez mis le temps, commenta Dess.

— Lâche-nous, souffla le garçon. Ça va, toi ?

Jessica mit un moment à comprendre que la question s'adressait à elle. Elle battit des cils et acquiesça stupidement. Ses pieds lui faisaient mal et elle se sentait à bout de souffle mais pour le reste, elle était indemne. Dans son corps, au moins.

— Oui, ça va. Je crois.

— Ne t'en fais pas pour ton gros matou ; on n'est pas près de le revoir, dit Dess, en regardant en direction de la panthère. (Elle se tourna vers le garçon.) C'était quoi, Rex ?

— Une sorte de darkling, répondit-il.

— Non, sans blague, ironisa Dess.

Tous deux fixèrent l'autre jeune fille. Cette dernière secoua la tête, en se frottant les yeux avec la main.

— Je l'ai senti très vieux, peut-être même antérieur à la Cassure.

Rex siffla entre ses dents.

— Ça, c'est vieux. Il doit avoir la cervelle toute grillée depuis le temps.

La jeune fille acquiesça.

— Aussi grillée que les frites d'un Happy Meal. Mais il reste dangereux.

Dess laissa tomber son vélo par terre et marcha jusqu'à l'endroit où s'était tenue la panthère.

— Quoi qu'il en soit, il n'était pas de taille face à ma redoutable Customisation.

Elle s'agenouilla et ramassa un disque de métal sombre sur l'asphalte.

— Ouille! s'exclama-t-elle en le faisant sauter d'une main dans l'autre, avec un grand sourire. Ça crépite encore.

L'objet ressemblait à un vieil enjoliveur noirci par le feu. Était-ce bien la soucoupe volante de tout à l'heure?

Jessica secoua la tête, hébétée, mais put recouvrer peu à peu son sang-froid. Elle avait déjà retrouvé une respiration normale. Son rêve prenait une tournure plus familière – délirante à souhait.

Rex mit sa bicyclette sur la béquille et s'approcha de la voiture. Voyant Jessica reculer craintivement, il leva les deux mains en l'air.

— Tout va bien, dit-il d'une voix douce, mais tu ferais mieux de descendre. Cette voiture m'a l'air d'aller plutôt vite.

— Allez, protesta Dess en consultant le ciel. Il reste au moins un quart d'heure.

— Quand même, ce n'est pas une habitude à prendre, insista-t-il. Surtout pour une débutante.

Il tendit la main. Jessica jeta un regard soupçonneux par terre, mais il n'y avait plus aucune trace de serpents. Elle remarqua que Rex portait sur ses bottes les mêmes bracelets de cheville que Dess. L'autre fille en avait aussi, des anneaux de métal passés par-dessus son collant noir.

Jessica baissa les yeux sur ses pieds nus.

— Ne t'en fais pas, les grouilleurs sont partis.

— Ils ont filé «subséquemment», dit Dess en gloussant.

Elle avait les pupilles dilatées, comme si la rencontre avec la panthère avait constitué une virée dans un parc d'attractions.

Jessica ignora la main que lui offrait Rex et glissa du capot avant de sauter loin du pare-chocs. Elle scruta les ombres sous le véhicule, mais les serpents s'étaient bel et bien évaporés.

— À ta place, je ne resterais pas devant la voiture, l'avertit Rex d'un ton neutre. (Il examina les pneus.) Elle doit bien faire du quatre-vingts à l'heure.

Jessica suivit son regard et constata que les pneus n'étaient pas ronds mais ovales, déformés par le poids et légèrement inclinés vers l'avant. Ils faisaient penser aux roues d'un véhicule en mouvement dans un dessin animé. Sauf que la voiture était à l'arrêt. La conductrice affichait toujours la même concentration, indifférente aux événements qui se déroulaient autour d'elle.

Rex indiqua la lune sombre.

— Et quand cette garce aura disparu, la voiture se remettra illico à foncer. On a le temps, Dess a raison, mais mieux vaut ne pas l'oublier.

Un je-ne-sais-quoi dans la voix calme de Rex agaçait Jessica. Peut-être le fait que ce qu'il disait n'avait aucun sens.

Elle leva les yeux vers la lune. Elle continuait à se déplacer très vite dans le ciel; elle était déjà à demi couchée.

Les trois autres poussèrent un petit cri de surprise. Elle se tourna vers eux. Ils la dévisageaient avec stupéfaction.

— Quoi encore ? demanda Jessica avec aigreur.

Elle commençait à se lasser de toutes ces bizarreries.

La jeune fille dont elle ignorait le nom fit un pas en avant pour mieux scruter ses traits, l'air consterné.

— Il y a un truc qui cloche avec tes yeux, dit-elle.

10

LES MIDNIGHTERS

— Qu'est-ce qu'ils ont, mes yeux?

— Ils ne…

La jeune fille se rapprocha encore d'un pas, le regard plongé dans celui de Jessica. Celle-ci porta la main à son visage et l'autre eut un mouvement de recul, comme si elle craignait qu'on ne la touche, puis leva les yeux au ciel avec une expression perplexe.

Ce fut au tour de Jessica de lâcher un petit cri. Sous la lune, les yeux de l'inconnue lançaient des reflets indigo, comme ceux de la panthère.

Jessica fit un pas en arrière. Des yeux qui renvoyaient la lumière, les chats, les ratons laveurs, les chouettes ou les renards, toutes les bestioles qui chassaient la nuit en avaient. Pas les hommes. Les yeux de la jeune fille avaient recouvré un aspect normal mais, après ce miroitement fugace, elle paraissait moins humaine.

— Mélissa a raison, confirma Dess.

Rex fit taire ses deux amies d'un geste de la main. Il s'approcha plus près pour dévisager Jessica.

— Jessica, dit-il d'une voix douce, tu veux bien regarder la lune ?

Elle s'exécuta, avant de lui jeter un regard soupçonneux.

— De quelle couleur est-elle ? demanda-t-il.

— Elle est… (Elle regarda de nouveau, puis haussa les épaules.) Elle n'a aucune couleur. Et elle me donne mal à la tête.

— Il y a un problème avec ses yeux, répéta l'autre fille, celle que Dess avait appelée Mélissa.

Dess mit alors son grain de sel.

— Aujourd'hui elle a prétendu qu'elle ne craignait pas le soleil. Je vous avais dit qu'elle était diurne. Pas de lunettes de soleil ni quoi que ce soit.

— De quelle histoire est-ce que vous parlez ? s'écria subitement Jessica, à son propre étonnement.

Elle n'avait pas eu l'intention de crier, mais ces mots lui avaient échappé.

La surprise qui se lisait sur le visage des trois autres était plutôt satisfaisante, néanmoins.

— Je veux dire, bredouilla-t-elle, que se passe-t-il ici ? Qu'est-ce que vous racontez ? Et que fichez-vous dans mon rêve ?

Rex battit en retraite et leva les mains. Dess gloussa mais se détourna à demi, vaguement gênée. Mélissa inclina la tête sur le côté.

— Pardon, s'excusa Rex. J'aurais dû te le dire d'entrée : il ne s'agit pas d'un rêve.

— Mais… commença Jessica.

Puis elle soupira, réalisant soudain qu'elle le croyait. La douleur, la peur, la sensation de son cœur qui cognait contre sa poitrine, tout cela avait été bien trop réel. Il ne s'agissait pas d'un rêve. C'était un soulagement de pouvoir se l'avouer.

— Qu'est-ce que c'est, dans ce cas?

— C'est minuit.

— Hein?

— Minuit, répéta-t-il avec lenteur. Zéro heure zéro, zéro. Depuis que le monde a changé de couleur, tout ce que tu as vécu s'est déroulé en un instant.

— Un seul instant…

— Le temps s'interrompt à minuit, pour nous autres.

Jessica jeta un coup d'œil à la femme immobile sur son siège derrière le pare-brise de la voiture. Son expression concentrée, la crispation de ses mains sur le volant… Elle semblait être en train de conduire, mais elle demeurait figée dans l'instant.

Dess intervint alors, sans ses inflexions sarcastiques habituelles.

— Il n'y a pas vingt-quatre heures dans une journée, Jessica. Il y en a vingt-cinq. Mais l'une d'elles passe plus vite que les autres. Trop vite pour que la plupart des gens en aient conscience. En revanche, nous autres pouvons la voir, la vivre.

— Et «nous autres», ça veut dire moi aussi? s'enquit doucement Jessica.

— Quand es-tu née ? voulut savoir Rex.

— Quoi, tu vas me raconter que c'est parce que je suis du signe du Lion ?

— Mais non, je te demande l'heure de ta naissance ?

Jessica réfléchit à la question, en se rappelant combien de fois ses parents lui avaient raconté cette histoire.

— Ma mère a eu ses premières contractions dans l'après-midi, mais je ne suis sortie qu'après une bonne trentaine d'heures. Tard dans la nuit.

Rex hocha la tête.

— À minuit, précisément.

— À minuit ?

— Mais oui. Une personne sur quarante-trois mille deux cents naît à moins d'une seconde de minuit, affirma Dess avec un sourire radieux. Bien sûr, nous ignorons à quel point il faut être proche de l'heure exacte. Et nous parlons de minuit en temps *réel*.

— Tu m'étonnes. Mon certificat de naissance indique une heure du matin, lâcha Mélissa d'un ton maussade. Encore des diurnes qui ont voulu s'offrir une heure supplémentaire.

Rex se tourna vers la lune. Ses yeux accrochèrent son opacité avec un miroitement étrange.

— Dans beaucoup de cultures, on pense que les personnes nées au douzième coup de minuit ont le pouvoir de distinguer les fantômes.

Jessica acquiesça. Cela lui évoquait quelque chose. Un de ces livres de pirates qu'elle avait lus en cours de lettres l'année dernière – les *Aventures de David Balfour* peut-être, ou *L'Île au trésor* ? L'histoire d'un gamin censé retrouver un trésor grâce aux fantômes des morts enterrés avec le coffre.

— La réalité est un peu plus complexe, poursuivit Rex.

— J'imagine, approuva Jessica. Parce que si cette panthère est un fantôme, il va falloir sérieusement revoir nos décorations d'Halloween.

— Les midnighters ne voient pas les fantômes, Jessica, acheva Rex. Ce que nous voyons, c'est l'heure secrète entière, le temps bleu, qui passe comme un éclair pour tous les autres.

— Les midnighters, répéta Jessica.

— C'est le mot qui nous désigne – les habitants de minuit. Parce que minuit nous appartient. Nous pouvons nous y déplacer comme bon nous semble tandis que le reste du monde est pétrifié.

— Pas *tout* le reste, corrigea Jessica.

— C'est vrai, admit Rex. Le temps bleu est aussi habité par les darklings – les créatures des ténèbres –, les grouilleurs et d'autres entités. Pour eux, le temps bleu représente le jour normal et vice versa. Ils ne peuvent pas plus se glisser dans les vingt-quatre premières heures que la plupart des gens ne peuvent pénétrer dans la vingt-cinquième.

— Nous seuls pouvons évoluer librement dans les deux, conclut Dess, joyeuse.

— Génial, fit Jessica d'une voix lugubre.

— Allez, tu n'as jamais souhaité que la journée puisse durer une heure de plus ? demanda Rex.

— Pas une heure de plus aussi bizarre ! Pas une heure de plus durant laquelle tout ce qui vit essaierait de me tuer ! Non, je ne crois pas avoir *jamais* souhaité ça.

— Dis donc. Ce que tu peux être diurne, dit Mélissa.

— Je dois reconnaître que ton heure bleue s'est plutôt mal déroulée, dit Rex en retrouvant sa voix calme et posée. Mais ce n'est pas toujours comme ça. La plupart du temps, les grouilleurs se contentent de nous surveiller de loin, et les darklings ne font pas attention à nous. Il faut les voir comme des sortes de bêtes sauvages. Ils peuvent être dangereux quand on les provoque mais, en règle générale, ils se fichent bien des humains. Je n'en avais encore jamais vu attaquer un midnighter sans raison.

— C'était une première pour moi aussi, d'accord ? lui rappela Jessica. Et je n'ai provoqué personne. Un de ces... *grouilleurs* m'a attirée jusqu'ici. Après quoi ce gros chat a tenté de me tuer. Deux fois.

— Oui, il va falloir tâcher de comprendre pourquoi, déclara Rex.

Il dit cela d'un ton neutre, comme si Jessica s'était vu assigner au lycée un casier qui refusait de s'ouvrir. Sans doute aucun de ces darklings n'avait-il jamais essayé de s'en prendre à lui.

— Je savais que tu étais différente, dit Mélissa, avant même que ce gros matou essaie de t'avaler toute crue. (Elle ferma les yeux, en inclinant la tête en arrière comme pour humer l'air.) Il y a quelque chose d'étrange dans ton goût.

Le visage de Mélissa devint livide, presque aussi exsangue que celui de Beth. Jessica leva les yeux au ciel. Alors, c'était *elle* qui avait quelque chose d'étrange maintenant?

— Pour l'instant, nous ferions mieux de te raccompagner chez toi, dit Rex en jetant un coup d'œil à la lune. Il ne nous reste plus que cinq minutes.

Jessica voulut dire quelque chose; un million de questions se bousculaient dans sa bouche. Mais elle se contenta de soupirer. On ne lui expliquerait rien. Tout ce qu'on lui disait ne faisait que l'embrouiller davantage.

— Parfait.

Jessica prit soudain conscience qu'elle avait très envie de se retrouver chez elle. La panthère devait encore rôder dans les parages.

Rex et Mélissa l'encadrèrent, en poussant leurs vélos. Dess décrivait de lents cercles autour d'eux, comme une enfant qui s'ennuie en attendant les adultes.

— Demain, nous aurons plus de temps pour discuter, promit Rex. Tu n'as qu'à nous retrouver au musée Clovis. À midi?

— Hum… (Jessica se rappela son projet de déballer ses cartons, de remettre un peu d'ordre dans sa vie. Évidemment, ce ne serait plus aussi simple désormais.) Bon, d'accord. C'est où?

— Près de la bibliothèque principale. Sur Division. (Rex indiqua la direction du centre-ville.) Nous t'attendrons au bas du grand escalier.

— D'accord.

— Et ne stresse pas, Jessica. On découvrira ce qui s'est passé ce soir. On fera en sorte que tu sois en sécurité ici.

Jessica regarda Rex dans les yeux, sensible à ce qu'elle y lisait : il semblait certain de découvrir l'origine du problème. Mais peut-être s'efforçait-il juste de la rassurer. Étrange : bien que ces propos n'aient ni queue ni tête, Rex donnait l'impression de savoir de quoi il parlait. Ici, dans le temps bleu, il se tenait plus droit et ses verres épais ne cachaient plus son regard sérieux. Il n'avait plus grand-chose du loser qu'il était dans la journée.

— Si je comprends bien, tu n'as pas besoin de lunettes, en fait ? Tu joues seulement la comédie, comme Clark Kent dans *Superman* ?

— J'ai bien peur que non. Dans la journée, je suis myope comme une taupe. Mais ici, dans le temps bleu, je possède une vision parfaite. Et même mieux que ça.

— Ça doit être cool.

— Oui, c'est super. Je peux même voir… (Il s'interrompit.) On t'expliquera ça demain.

— Très bien.

Jessica les dévisagea tous les trois : Dess, qui s'amusait à tourner autour d'eux sur son vélo, Rex, avec son regard clair et assuré, Mélissa, silencieuse mais sans ses écouteurs ni son expression renfrognée. Tous semblaient sincèrement apprécier cette période hors du temps.

Quoi d'étonnant, après tout ? Leur vie n'avait rien de si extraordinaire durant la journée. Ici au moins, il n'y avait personne pour les bousculer ou se moquer d'eux. Une heure par jour, le monde devenait pour eux une sorte de club privé.

Un club dont Jessica était membre désormais. Super.

Ils raccompagnèrent la jeune fille jusqu'à sa porte. Elle réalisa que la lumière changeait peu à peu. La lune sombre se couchait ; elle avait presque entièrement disparu derrière les maisons de l'autre côté de la rue.

— Comment allez-vous faire pour rentrer chez vous ? s'inquiéta-t-elle.

— Comme d'habitude. Comme pendant la journée, répondit Rex en enfourchant sa bicyclette.

Il mit la main dans sa poche et en tira ses lunettes.

Jessica regarda autour d'elle, guettant le moindre signe de la panthère.

— Vous êtes sûrs que ce truc bleu est presque fini ?

— Ça se produit toutes les nuits, tu sais. C'est aussi régulier que le coucher du soleil, répondit Rex.

Jessica prit conscience qu'ils devaient se trouver à des kilomètres de chez eux.

— Et le couvre-feu ? Je veux dire, tout le monde va se réveiller, non ? Et si la police vous attrape ?

Mélissa leva les yeux au ciel.

— On contourne le couvre-feu depuis des années. Ne te fais pas de souci pour nous.

— Par contre, il faut vraiment qu'on y aille, dit Rex. Tu ne risques plus rien ici, Jessica. Et tout ça te semblera plus clair demain matin. (Il pédala le long de l'allée et s'engagea dans la rue.) À demain, midi !

Le vélo de Dess traversa la pelouse dans un grand bruit de ferraille.

— On se voit dans quarante-trois mille deux cents secondes, Jess, lui lança-t-elle au passage. Et pense à mettre des chaussures la prochaine fois !

Elle s'esclaffa, avant de pédaler avec ardeur à la poursuite de Rex. Jessica contempla ses pieds nus et ne put s'empêcher de sourire.

Mélissa s'attarda un moment à la dévisager, les yeux plissés.

— Tu n'as pas ta place ici, dit-elle doucement, presque dans un souffle. Voilà pourquoi le darkling a voulu te tuer.

Jessica ouvrit la bouche, puis haussa les épaules.

— Je n'ai jamais demandé à devenir une midnighter, dit-elle.

— Peut-être que tu n'en es pas une, rétorqua Mélissa. Pas une vraie, en tout cas. Tu fais trop... onze heures cinquante-neuf. Tu n'es pas à ta place.

Elle fit tourner son vélo et partit sans attendre de réponse.

Jessica frissonna.

— La plus cinglée du club des cinglés prétend que je n'ai pas ma place parmi eux. Génial.

Elle rentra dans la maison. Même à la lueur étrange de la lune sombre, l'endroit lui parut plus accueillant que jamais. Rien de tel que de se retrouver chez soi.

Mais Jessica soupira en remontant le couloir qui menait à sa chambre. Les paroles de Mélissa tournaient en boucle dans sa tête. Le darkling ne lui avait pas fait l'effet d'une bête sauvage – elle avait plutôt eu l'impression qu'il la haïssait. Et le grouilleur l'avait attirée dans un piège parce qu'il voulait sa mort.

— Elle a peut-être raison.

Ce temps bleu ne lui semblait pas fait pour elle. Sa lumière étrange pulsait dans tous les recoins de la maison, sinistre, malsaine. Les yeux brûlants, elle était au bord des larmes.

— Peut-être que je n'ai pas ma place ici.

Elle marqua le pas devant la porte de Beth. Sa forme blafarde était toujours là, immobile, étendue sur le lit dans la même posture.

Jessica entra et s'assit près de sa sœur. Elle s'obligea à la regarder, à attendre la fin de minuit. Elle avait besoin de savoir que Beth n'était pas morte. Si Rex lui avait dit la vérité, elle était simplement suspendue un moment dans le temps.

Jessica remonta le drap sous le menton de sa sœur et tendit le bras pour lui toucher la joue. Elle frémit quand ses doigts effleurèrent la peau froide.

L'instant prit fin.

Les cartons et les recoins cessèrent de luire et plongèrent à nouveau dans l'obscurité. La lueur des lampadaires entra par la fenêtre, dessinant un quadrillage d'ombres sur le fouillis du plancher. Tout était redevenu normal.

La joue de Beth se réchauffa, et l'un de ses muscles palpita sous la main de Jessica.

Elle ouvrit des yeux embués.

— Jess? Qu'est-ce que tu fiches ici?

La jeune fille retira vivement sa main. Beth pouvait être tout aussi effrayante éveillée que pétrifiée.

— Heu, je voulais te dire quelque chose.

— Hein? Je *dors*, Jessica.

— Je voulais juste que tu saches… Je suis désolée de t'avoir évitée ces derniers temps. Je veux dire, je sais que ce n'est pas facile pour toi. Mais… je suis là, d'accord?

— Oh, Jessica, dit Beth, en s'entortillant davantage encore dans son drap. (Puis elle se tourna vers sa sœur et la fixa d'un air accusateur.) C'est maman qui t'a demandé de me dire ça? C'est nul.

— Non. Bien sûr que non. Je voulais seulement…

— Jouer les grandes sœurs. Montrer que tu restais disponible malgré ta popularité toute neuve. C'est gentil. Merci pour cette petite discussion, Jess. Tu crois que je pourrais dormir un peu, maintenant?

Jessica fit mine de répondre, puis s'interrompit et réprima un sourire. Beth avait visiblement retrouvé tous ses moyens. Elle était ressortie de l'heure bleue sans la moindre séquelle.

— Bonne nuit, lui dit Jessica en gagnant la porte.

— C'est ça. Enfin, ce qu'il en reste.

Beth se tourna avec rage sur le ventre et tira le drap par-dessus sa tête.

Jessica sortit dans le couloir et regagna sa propre chambre. Elle referma soigneusement sa porte, avec la brusque sensation que le temps bleu ne s'était pas vraiment dissipé. La lumière était redevenue normale, et elle entendait de nouveau le souffle inlassable du vent de l'Oklahoma, mais tout lui paraissait différent désormais. Le monde qu'elle avait connu – celui du jour et de la nuit, des certitudes et de la raison – était totalement balayé.

Dans vingt-quatre heures le temps bleu serait à nouveau là. Si Rex n'avait pas menti, il reviendrait tous les soirs.

Jessica Day se mit au lit et remonta ses couvertures jusqu'au nez. Elle tâcha de s'endormir mais, les paupières closes, elle sentait comme une présence dans la pièce. Elle se rassit, scruta le moindre recoin, vérifia et revérifia qu'aucune forme étrangère ne rôdait dans les parages.

Comme quand elle était petite fille, que la nuit était une période de grand péril et que le croque-mitaine se cachait sous le lit, guettant une main ou une jambe qui dépasserait.

Il existait des créatures bien pires que le croque-mitaine. Et dorénavant, elles disposeraient d'une heure chaque nuit pour lui courir après.

11

LES MARQUES DE MINUIT

Beth était en grande forme le lendemain matin, au petit déjeuner.

— Maman, Jessica m'a espionnée dans mon sommeil la nuit dernière.

— Tu veux dire qu'elle a parlé dans son sommeil? demanda sa mère.

— Non, espionnée. Elle s'est glissée dans ma chambre pendant que je dormais.

Les parents de Jessica se tournèrent vers leur fille en haussant les sourcils.

— Je ne t'espionnais pas, protesta Jessica.

Elle piqua sa fourchette dans les œufs au fromage préparés par son père, priant pour que la conversation retombe d'elle-même. Elle aurait dû se douter que Beth parlerait de sa visite nocturne.

Quand elle releva la tête, tout le monde continuait à la fixer. Elle haussa les épaules.

— Je n'arrivais pas à dormir, alors je suis passée voir si Beth était réveillée.

— Pour me tenir un petit discours, ajouta Beth.

Jessica se sentit rougir. Sa petite sœur avait toujours eu le chic pour la mettre dans l'embarras. Il fallait toujours qu'elle joue les rapporteuses. Le moindre faux pas appelait un commentaire de sa part.

— Un discours? répéta son père.

Il était assis de l'autre côté de la table, vêtu d'un vieux tee-shirt. Le vêtement aux couleurs passées portait le logo d'une société d'informatique dans laquelle il avait travaillé. Il avait les cheveux en bataille ainsi qu'une barbe de plusieurs jours.

Mme Day mangeait debout, déjà prête à partir au travail dans son tailleur impeccable, le col de son chemisier d'une blancheur éblouissante. Elle ne s'habillait pas avec autant de soin à Chicago, mais Jessica supposa qu'elle voulait impressionner ses nouveaux employeurs. Sa mère n'avait pas pour habitude de travailler le samedi, non plus.

— Qu'est-ce qui t'a empêchée de dormir?

Jessica prit conscience qu'elle ne pouvait pas leur avouer la vérité. Avant d'aller sous la douche ce matin, elle avait remarqué la plante de ses pieds, noire de crasse d'avoir marché nue sur l'asphalte. Ses paumes portaient encore des marques rouges, et elle avait un bleu à la main, là où le grouilleur l'avait mordue.

Comment croire alors que tout cela n'avait été qu'un rêve?

— Jessica?

— Oh, désolée. Je crois que je suis un peu fatiguée. Je fais de drôles de rêves depuis le déménagement. C'est ça qui m'a réveillée.

— Moi aussi, dit M. Day.

— D'accord, papa, dit Beth, mais tu ne débarques pas dans ma chambre en pleine nuit pour me balancer un discours.

Ils regardaient tous Jessica, dans l'expectative. Beth affichait un sourire cruel.

D'ordinaire la jeune fille s'en serait sortie par une plaisanterie, ou en quittant la pièce – quoi que ce soit pour échapper à cette situation gênante. Mais elle avait déjà menti à propos de ce qui l'empêchait de dormir. Elle décida de changer son fusil d'épaule.

— J'ai simplement eu envie de dire à Beth que... comme le déménagement n'a pas été facile pour elle... que j'étais là si elle avait besoin de moi.

— C'est trop *nul*, geignit Beth. Maman, dis à Jessica de ne pas être aussi nulle.

Jessica sentit sa mère lui ébouriffer les cheveux.

— Je trouve ça adorable, Jessica.

Beth fit « berk » et s'enfuit hors de la cuisine avec son petit déjeuner. Des bruits de dessins animés s'élevèrent dans le salon.

— C'était très mature de ta part, Jess, la complimenta son père.

— Je n'ai pas fait ça pour être mature.

— Je sais, Jessica, dit sa mère. Mais tu as raison – Beth

a besoin de tout notre soutien en ce moment. C'est bien d'avoir essayé.

Jessica haussa les épaules, embarrassée.

— Pas de problème.

— Il faut que je file, annonça Mme Day. Je teste la soufflerie cet après-midi.

— Bonne journée, maman.

— À ce soir, mes chéris.

— À ce soir, lancèrent en chœur Jessica et son père.

Aussitôt la porte d'entrée refermée, ils emportèrent leur petit déjeuner devant la télé. Beth fit une place à Jessica sur le canapé sans prononcer un mot.

À la première page de publicité cependant, Beth ramassa son assiette vide, hésita, et indiqua l'assiette de Jessica.

— Tu as terminé ?

Jessica leva la tête.

— Oui.

Beth se pencha et posa l'assiette de sa sœur sur la sienne, puis emporta le tout dans la cuisine.

Jessica et son père échangèrent un regard surpris.

Il sourit.

— La nullité donne parfois des résultats, dirait-on.

Une heure plus tard, M. Day décida de jouer les adultes responsables. Il se leva, s'étira et éteignit la télé.

— Alors, les filles, c'est aujourd'hui que vous terminez de déballer vos cartons ?

— Bof, rien ne presse, répondit Beth. On a toute la journée pour ça.

— Il s'agirait quand même de s'activer un peu avant le retour de votre mère, insista son père.

— En fait, intervint Jessica, je dois passer au musée dans le centre-ville. Le musée Clovis. Pour le lycée.

— Tu as déjà des devoirs ? s'étonna son père. De mon temps, on ne nous donnait rien à faire la première semaine. On nous laissait prendre nos marques, avant de réintroduire progressivement les devoirs à la maison.

— Rien n'a changé pour toi, finalement, hein, papa ? dit Beth.

M. Day lâcha un soupir en signe de défaite. Il n'opposait plus guère de résistance à Beth ces derniers temps.

Jessica ignora sa sœur.

— De toute façon, papa, ce n'est pas si loin. Je crois que je vais y aller à vélo.

Les rues et les maisons n'avaient pas bougé. Jessica consulta sa montre. Elle avait largement le temps – il lui restait une heure avant son rendez-vous au musée.

Les questions se bousculaient dans sa tête. Quelles sortes de créatures étaient les darklings, les grouilleurs, et d'où venaient-ils ? Comment Dess avait-elle pu mettre la panthère en fuite avec un vulgaire enjoliveur ? Pourquoi Jessica n'avait-elle jamais connu le temps bleu avant de venir à Bixby ? Et comment Rex et ses amis en savaient-ils aussi long, de toute manière ?

Jessica roulait lentement, en refaisant avec soin le chemin qu'elle avait parcouru la veille. Le trajet entre sa maison et l'endroit où elle avait aperçu la panthère pour la première fois restait flou dans son souvenir. Elle avait suivi le grouilleur-félin en marchant comme dans un rêve, sans trop faire attention à ce qui l'entourait. Mais elle n'eut aucun mal à atteindre l'angle de Kerr et de Division, puis l'endroit où s'était trouvée la voiture.

Bien sûr, celle-ci avait disparu. Jessica essaya d'imaginer le véhicule qui s'ébranlait brusquement à la fin de l'heure secrète, la conductrice continuant sa route comme si de rien n'était. On ne voyait aucune trace dans la rue, pas le moindre enjoliveur noirci, rien qui puisse attester un combat tout juste onze heures plus tôt.

De là, elle refit le reste de son parcours en sens inverse. Elle ne se rappelait que trop bien sa fuite avec la panthère sur les talons. Elle retrouva l'allée étroite et la remonta jusqu'au grillage qu'elle avait escaladé afin de lui échapper. Jessica n'avait pas l'intention d'y grimper en plein jour, et l'idée de fouler de nouveau ces hautes herbes la rendait nerveuse... Elle décida de contourner la maison côté rue.

Le vieux saule trônait au centre du pâté de maisons, pareil à une immense ombrelle. Jessica descendit de sa selle et poussa son vélo jusqu'au gazon mal entretenu. Sur le tronc plongé dans l'ombre, elle repéra trois sillons dans l'écorce – les traces de griffes de la panthère géante.

Elle eut la chair de poule en suivant l'un des sillons d'un doigt tremblant. Profond de plus de deux centimètres et demi, il était large comme son pouce. Elle écrasa la goutte de résine entre ses doigts, réalisant que l'arbre avait saigné à sa place.

— Désolée pour ça, murmura-t-elle au saule.

— Hé !

Jessica sursauta, et se retourna vers la voix.

— Qu'est-ce que tu fabriques sur ma pelouse ?

Elle repéra un visage à la fenêtre de la bicoque, à peine visible derrière la moustiquaire baignée de soleil.

— Désolée, lança-t-elle. Je jetais juste un coup d'œil à votre arbre.

D'accord, se dit Jessica, *ça doit paraître plutôt bizarre.*

Elle ramena son vélo dans la rue, l'enfourcha et se retourna, s'abritant les yeux par la main en visière. Le visage avait disparu mais Jessica reconnut l'étoile à treize branches sur la plaque près de la porte. Dess avait raison : on en voyait partout à Bixby.

Une vieille femme sortit de la maison, seulement vêtue d'une chemise de nuit légère que la brise plaquait contre sa frêle carcasse. Elle serrait quelque chose contre sa poitrine, un objet long et mince qui scintillait au soleil.

— Fiche le camp de chez moi, cria la femme, d'une voix aussi fluette que sa silhouette.

— D'accord, excusez-moi.

Jessica commença à s'éloigner.

— Et ne reviens pas cette nuit non plus, cria encore la femme.

Ne reviens pas cette nuit ? songea Jessica tout en pédalant. Qu'avait-elle voulu dire par là ?

La jeune fille secoua la tête et regarda sa montre. Les marques sur l'arbre prouvaient l'existence de l'heure secrète. Elle devait accepter cette idée : on avait tenté de la tuer la nuit dernière. Et il lui fallait trouver un moyen de se protéger avant le retour du temps bleu.

Elle se mit à pédaler vers le centre-ville avec une énergie redoublée.

Elle avait horreur d'être en retard.

12

LES POINTES DE FLÈCHES

Aux abords du centre-ville, Rex sentit la voiture ralentir. Il jeta un coup d'œil à Mélissa, à ses mains crispées sur le volant.

— Tout va bien, cow-girl, murmura-t-il.

Il s'efforça de penser à des choses apaisantes, dans l'espoir de l'aider.

Le centre-ville n'était pas immense, comme à Tulsa ou à Dallas. Il comptait une poignée de bâtiments de cinq ou six étages dont la mairie, la bibliothèque et un ou deux immeubles de services. Un samedi, les bureaux seraient déserts. Il y aurait quelques personnes dans les boutiques de luxe sur la rue principale, et du monde devant le cinéma restauré qui datait des années cinquante. Voilà tout.

Mais avec ou sans foule, le centre-ville se dressait au beau milieu de Bixby, ceinturée de lotissements. Chaque tour de roue les rapprochait du cœur de la ville. Ce n'était pas aussi terrible qu'au lycée, mais Mélissa avait toujours besoin d'un moment pour s'habituer au poids cumulé de tous ces esprits.

Bientôt, ses phalanges se détendirent sur le volant.

Rex respira plus librement et se renfonça dans son siège. Il jeta un coup d'œil par la fenêtre en ôtant ses lunettes, à la recherche de signes.

Il en voyait de tout côté.

C'était plutôt rare, aussi loin du désert. Sans ses lunettes, la ville aurait dû se fondre dans un vaste brouillard rassurant. Mais Rex distinguait une maison qui se détachait de ses voisines avec une étrange netteté, un panonceau qu'il déchiffrait à la perfection, une Empreinte scintillante qui serpentait à travers la rue, les arêtes brillantes qui trahissaient le contact de mains non humaines. Ou de griffes, ou de ventres velus.

Les signes de minuit s'étalaient partout, de plus en plus proches du centre-ville. Rex se demanda ce que les darklings et leurs petits camarades avaient derrière la tête. Était-ce une manière pour eux d'éprouver leurs limites ? Devenaient-ils plus nombreux ? Témoignaient-ils un intérêt soudain pour l'humanité ?

Ou bien étaient-ils à la recherche de quelqu'un ?

— Que crois-tu qu'elle soit, Rex ? lui demanda Dess depuis la banquette arrière.

— En matière de talent ? (Il haussa les épaules.) Aucune idée. Peut-être une polymathe.

— Non, dit Dess. Je suis en trigo avec elle, tu as oublié ? Elle est nulle. Ça fait trois fois cette semaine que Sanchez lui explique la mesure du radian.

Rex se demanda ce que pouvait bien être la mesure du radian.

— La trigo ne fait pas vraiment partie de l'ancien savoir, Dess.

— Elle l'assimilera un jour ou l'autre, prédit Dess. Tôt ou tard, l'arithmétique aura fait son temps. Comme l'obsidienne avant elle.

— Ce n'est pas demain la veille, lui assura Rex. (Du moins l'espérait-il. Lui non plus n'entendait pas grand-chose à la trigonométrie.) De toute façon, Jessica vient d'arriver. Elle mettra peut-être un peu de temps à trouver son talent.

— Arrête, protesta Dess. Vous m'avez dénichée quand j'avais onze ans, exact? À cette époque, mes parents me laissaient déjà remplir leur déclaration d'impôts. Jessica a quinze ans, et elle serait larguée par un cours de trigo? Je te dis qu'elle n'est pas polymathe.

— Ce n'est pas une télépathe non plus, intervint Mélissa.

Rex jeta un coup d'œil à son amie. À l'inverse du tableau de bord et du paysage flou qui défilait derrière eux, ses traits de midnighter étaient d'une netteté parfaite. Elle avait le visage fermé et les mains de nouveau crispées sur le volant, comme si la vieille Ford était en train de doubler un bus rempli d'enfants surexcités.

— Probablement pas, convint-il d'un ton neutre.

— *Certainement* pas. Je l'aurais senti, dans le cas contraire.

Rex soupira.

— Ça ne sert à rien d'en discuter maintenant. On le découvrira bien assez tôt. C'est peut-être une voyante, après tout.

— Hé, Rex, et si c'était une acrobate ? lança Dess.

— Oh oui, pour remplacer qui vous savez, renchérit Mélissa.

Rex lui adressa un regard noir, puis remit ses lunettes. Le visage de Mélissa se brouilla légèrement tandis que le reste du monde se précisait. Il se détourna pour regarder par la vitre.

— Nous n'avons pas besoin d'une acrobate.

— Bien sûr, Rex, dit Dess. Mais ce ne serait pas mieux d'avoir une équipe au complet ?

Il haussa les épaules, refusant de mordre à l'hameçon.

— Regroupez-les tous ! plaisanta Mélissa.

— Écoutez, riposta Rex d'une voix cinglante, il existe bien d'autres talents que les quatre que nous connaissons pour l'instant, d'accord ? J'ai lu des trucs sur des talents qui remontent carrément à la Cassure. Elle pourrait posséder n'importe lequel.

— Ou aucun, dit Mélissa.

Rex haussa les épaules encore une fois et se tut jusqu'au musée.

Le musée archéologique de la période Clovis était un long bâtiment bas. L'essentiel de ses salles se trouvaient en sous-sol, enterrées dans une gangue fraîche et sombre d'argile rouge. Avec son unique rangée de fenêtres étroites, il évoquait pour Rex l'un de ces bunkers dans lesquels s'abritent les scientifiques aéronautiques lorsqu'ils testent une nouvelle fusée susceptible d'exploser sur le pas de tir.

C'était le premier week-end de l'année scolaire, le parking était quasiment désert. Quelques touristes passeraient peut-être plus tard dans l'après-midi ; les visites scolaires commenceraient dans un mois ou deux. Chaque élève dans un rayon de cent cinquante kilomètres autour de Bixby visitait au moins trois fois le musée Clovis au cours de sa scolarité. Mélissa et Rex s'y étaient rendus pour la première fois en classe de cinquième. C'était là qu'ils avaient découvert leurs talents.

Anita n'était pas à son poste habituel, à la billetterie. Sa remplaçante, une nouvelle, les dévisagea tous les trois d'un air soupçonneux en les voyant franchir la porte.

— Je peux vous aider ?

Rex fouilla dans sa poche, à la recherche de sa carte de membre. Il la retrouva après quelques secondes d'angoisse.

— Trois entrées, s'il vous plaît.

La femme prit la carte chiffonnée et l'examina, haussant un sourcil. Elle les détailla un long moment, en s'attardant sur le manteau noir de Rex et l'accoutrement des filles, cherchant une raison de leur refuser l'accès.

— Tout au long de l'année, dit Dess.

— Je te demande pardon ?

— Elle veut dire que cette carte est valable tout au long de l'année, madame, expliqua Rex.

La femme acquiesça, les lèvres pincées, comme si ses pires soupçons se confirmaient, et ajouta :

— Oui, c'est ce que je vois. (Elle pressa une touche, et trois tickets jaillirent d'une fente.) Mais faites bien attention à ne toucher à rien, c'est compris ?

Dess lui arracha les billets et fit mine de répliquer quand un homme d'âge mûr en costume de tweed sortit d'une porte de service derrière le bureau, lui coupant la parole juste à temps.

— Eh ! mais voici mes « pointes de flèches », s'exclama le professeur Anton Sherwood avec un petit rire.

Rex sentit la tension l'abandonner. Il sourit au directeur du musée.

— Je suis bien content de vous voir, professeur Sherwood.

— Tu as quelque chose pour moi aujourd'hui, Rex ?

Le garçon secoua la tête, en prenant le temps de savourer la confusion sur le visage de la réceptionniste.

— Désolé, nous sommes seulement là en visite. De nouvelles pièces à nous conseiller ?

— Mmm. Nous avons reçu un biface de Cactus Hill, en Virginie. M'a l'air d'un spécimen intéressant pour le lien avec les solutréens. On l'a exposé dans la vitrine pré-Clovis à ce niveau. Tu me diras ce que tu en penses.

— Avec plaisir, dit Rex.

Il sourit poliment à la réceptionniste éberluée derrière sa caisse et conduisit Dess et Mélissa à l'intérieur.

— Mouchée, murmura Dess.

Même Mélissa souriait. Rex s'autorisa quelques instants de fierté. Au moins, ses deux amies ne l'asticotaient plus en lui parlant d'acrobates.

Ils s'enfoncèrent dans le musée à l'éclairage tamisé, loin du soleil aveuglant de la mi-journée. Rex respira profondément l'odeur fraîche, réconfortante, de l'argile rouge. L'un des murs du musée ouvrait directement sur l'ancien chantier de fouilles de Bixby, avec des passerelles suspendues à un mètre au-dessus du sol brut. Engoncés dans l'argile comme s'ils n'avaient jamais été exhumés s'étalaient des outils en os, des instruments en bois fossilisé, des éclats d'obsidienne en forme de pointes de flèches et le squelette d'un tigre à dents de sabre (l'étiquette disait « tigre à dents de sabre », mais Rex avait des doutes sur la nature exacte de la créature).

En se dirigeant vers la rampe qui menait aux niveaux inférieurs, Rex consulta sa montre : midi passé de quelques minutes ; Jessica risquait de les attendre. Mais en chemin, il s'arrêta un bref instant devant les trouvailles archéologiques pré-Clovis.

La vitrine était remplie de pointes de flèches rudimentaires d'une taille allant de un centimètre et demi à treize centimètres. Certaines étaient longues et fines, d'autres larges et à peine pointues, en biseau. La plupart tenaient davantage de la pointe d'épieu que d'une véritable pointe de flèche. Ceux qui les avaient taillées leur avaient fixé des hampes, mais en vingt mille ans le bois avait eu le temps de pourrir. La nouvelle pointe ne fut pas difficile à repérer.

Longue de vingt centimètres et mince comme une hostie, elle était taillée en forme de feuille étroite. On y voyait les coups d'un marteau en pierre manié par un artisan habile. Rex releva ses lunettes.

L'instrument se brouilla; il ne portait aucune trace d'Empreinte. Rex fit la moue, et continua le long de la rampe. Jusqu'à présent, il n'avait jamais découvert le moindre signe de temps bleu en dehors de Bixby.

Ses amis et lui étaient-ils vraiment seuls au monde?

Jessica Day se trouvait déjà sur place, à les attendre en bas, perdue dans la contemplation d'une reconstitution de chasse au mastodonte. Les minuscules figurines d'hommes préhistoriques encerclaient le pachyderme, enfonçant leurs épieux dans son cuir épais. L'une d'elles était sur le point de se faire empaler par une énorme défense.

— Il leur fallait un sacré courage, hein? dit Rex.

Jessica sursauta, comme si elle ne les avait pas entendus approcher. Elle reprit contenance, puis haussa les épaules.

— Ils s'y mettaient tout de même à vingt contre un.

— Dix-neuf, corrigea Dess.

Jessica arqua un sourcil.

Ça commence bien, songea Rex. Il avait préparé tout un discours, une véritable leçon de choses. Il l'avait répété plusieurs fois dans sa tête avant de se coucher la nuit précédente. Mais Jessica avait l'air fatiguée. Même à travers ses lunettes qui rendaient la jeune fille un peu floue, Rex vit les traces d'une nuit agitée au fond de ses yeux verts. Il décida d'oublier son discours.

— Tu dois avoir un tas de questions à nous poser, dit-il.

— En fait, oui.

— Par ici.

Ils entraînèrent Jessica vers quelques tables alignées le long du mur. C'était là que les groupes scolaires prenaient leur pause déjeuner. Ils s'assirent tous les quatre ; Mélissa ôta ses écouteurs tandis que Dess se balançait dangereusement en arrière sur sa chaise en plastique.

— On t'écoute, dit Rex en croisant les mains sur la table.

Jessica prit son élan, ouvrit la bouche, puis afficha une expression d'impuissance que Rex put discerner à travers ses lunettes. Elle avait bien trop de questions à poser et ne savait par où commencer. Rex patienta, le temps qu'elle organise ses pensées.

— Un *enjoliveur* ? bredouilla enfin Jessica.

Rex sourit.

— Pas n'importe quel enjoliveur, rectifia Dess. Celui-ci provenait d'une Mercury 1967.

— Mille neuf cent soixante-sept est un multiple de treize ? demanda Rex.

— Pas du tout, se moqua Dess. Mais on faisait des enjoliveurs en acier, à cette époque. Pas ces saloperies en aluminium.

— Temps mort, réclama Jessica.

— Oh, désolé, s'excusa Rex avec embarras. Explique-lui, Dess, sans trop entrer dans les détails.

Dess sortit son collier de son chemisier. Une étoile à treize branches pendait au bout de la chaîne. Dans l'éclairage feutré du musée, il scintillait sous les spots des vitrines comme s'il dégageait sa propre lumière.

— Tu te souviens de ça?

— Ouais, j'en ai vu partout dans Bixby depuis que tu me l'as fait remarquer.

— Eh bien, ce collier est un condensé de protections contre les darklings. Il y a trois choses que ces charmantes bestioles ne supportent pas. La première est l'acier. (Dess fit tinter son étoile du bout de l'ongle.) Les métaux récents leur flanquent une trouille bleue.

— L'acier, répéta doucement Jessica, comme si elle l'avait toujours su.

— Il faut savoir que les darklings sont très, très vieux, expliqua Dess. Et comme bon nombre de personnes âgées, ils n'apprécient pas trop le changement.

— Ils ont d'abord eu peur du silex taillé, intervint Rex. Puis du métal forgé : le bronze, le fer. Mais ils s'y sont habitués peu à peu. L'acier est plus récent.

— Il me semblait qu'il existait depuis longtemps, s'étonna Jessica. Comme les épées et tout ça.

— Oui, mais là, on parle d'acier inoxydable, une invention moderne, dit Dess. Bien sûr, un jour j'aimerais mettre la main sur une pièce en titane électrolytique ou…

— D'accord, l'interrompit Jessica. Donc, ils détestent les nouveaux métaux.

— En particulier les alliages, renchérit Dess, qui sont un mélange de métaux. L'or et l'argent sont des éléments. Ils sortent directement du sol. Les darklings ne les craignent en rien.

— Mais ils craignent les alliages. Donc, ils ne peuvent pas franchir un obstacle en acier ? demanda Jessica.

— Ce n'est pas aussi simple, dit Dess. La deuxième chose que les darklings ne supportent pas, ce sont… les maths.

— Les *maths* ?

— Enfin, un certain genre de maths, expliqua Dess. Disons qu'il y a des chiffres, des séquences ou des ratios qui leur sont des plus pénibles.

Jessica la dévisagea avec incrédulité.

Rex s'était préparé à cette réaction.

— Jess, as-tu entendu parler de l'épilepsie ?

— Heu, bien sûr. C'est une maladie, hein ? On s'écroule et on se met à baver.

— Et à se mordre la langue, ajouta Dess.

— C'est un problème cérébral, dit Rex. La crise est souvent déclenchée par une lumière qui clignote.

— Peu importe que tu sois forte ou en bonne santé, dit Dess. Un simple clignotement, et tu te retrouves impuissante. Comme Superman avec la kryptonite. Le truc, c'est que la lumière doit clignoter selon une certaine vitesse. Les chiffres ont le même effet sur les darklings.

— Voilà pourquoi on retrouve le chiffre treize partout dans Bixby? demanda Jessica.

— Tu as tout compris. Ça protège contre les darklings et leurs petits camarades. Il y a quelque chose dans ce nombre qui les rend complètement cinglés. Ils ne supportent pas les symboles à treize éléments, ou les groupes de treize. Un simple mot de treize lettres leur fait péter un câble.

Jessica siffla entre ses dents.

— Psychologique.

— Oui, par exemple, approuva Dess. Donc j'ai baptisé ce vieil enjoliveur Customisation, et ta petite panthère a vu griller ses moustaches.

— Je vois, dit Jessica.

— En résumé, garde toujours un décatrigramme à l'esprit.

— Un *quoi*?

— Décatrigramme. C'est un mot de treize lettres qui veut dire «mot de treize lettres», expliqua Dess avec un sourire joyeux.

— Vraiment?

— Enfin, c'est moi qui l'ai inventé. Alors, n'essaie pas de t'en servir pour te protéger. Et chaque fois que tu as recours à un décatrigramme contre un darkling, n'oublie pas d'en préparer un nouveau pour la nuit suivante.

— Ils s'habituent aux mots beaucoup plus vite qu'aux métaux, maugréa Rex.

— Qui sait? poursuivit Dess. Peut-être qu'un jour ils s'habitueront même au chiffre treize. Et nous n'aurons plus qu'à nous rabattre sur les mots de trente-neuf lettres.

Rex fit la grimace.

— Espérons que c'est pas pour tout de suite.

— Donc, si je me promène avec un morceau de métal portant un nom de treize lettres, conclut Jessica incrédule, je ne risque plus rien?

— Oh, il te faudra davantage que ça, la prévint Dess. D'abord et avant tout, le métal doit être propre.

— Quoi, ils craignent le savon également?

— Pas «propre» dans ce sens-là, répondit Rex. Qui n'a pas été souillé par minuit. Tu vois, quand un objet du monde diurne est dérangé lors du temps bleu, il fait alors partie intégrante de leur monde. Ça le transforme à tout jamais.

— Alors, comment sait-on ce qui est propre ou non?

Rex prit une grande inspiration. Dess avait fait sa part; à lui de jouer désormais.

— T'es-tu jamais demandé comment nous avons su que tu étais une midnighter, Jessica?

Elle pesa la question, avant de lâcher un soupir.

— Si vous saviez toutes les questions que je me pose en ce moment... Mais c'est vrai, Dess m'a donné l'impression de se douter de quelque chose dès notre première rencontre. Je me suis même dit qu'elle devait lire dans les pensées.

Mélissa ricana discrètement, en tambourinant avec ses doigts au rythme de la musique.

— Eh bien, une fois transformées par l'heure secrète, les choses prennent un aspect différent. À mes yeux, en tout cas. Quant à toi, en tant que midnighter, tu as toujours cet aspect-là. Tu fais naturellement partie de ce monde.

Rex ôta ses lunettes.

Les traits de Jessica lui apparurent avec une clarté parfaite. Il put distinguer les cernes sous ses yeux ainsi que son expression appliquée, inquisitrice, prête à assimiler tout ce qu'on lui apprendrait.

— Je peux aussi repérer les traces laissées par les autres midnighters. Il y en a partout dans Bixby. Certaines sont là depuis des milliers d'années.

Jessica le dévisagea. Elle devait se demander s'il n'était pas cinglé.

— Et il n'y a que toi qui peux les voir?

— Pour l'instant. (Il avala sa salive.) Serais-tu d'accord pour essayer un truc, Jessica?

— Bien entendu.

Il l'entraîna vers une vitrine le long de la paroi de terre. Sous le verre s'étalait une collection de pointes de flèches de la période Clovis, ramassées dans la région de Bixby, toutes vieilles de plus de dix mille ans. Bien que l'étiquette ne le précise pas, l'une de ces pointes avait été récupérée dans la cage thoracique du « tigre à dents de sabre » encastré dans la paroi. Les autres provenaient d'anciens sites, de tertres funéraires et de la fosse aux serpents. Sans ses lunettes, Rex repérait aussitôt la différence.

La pointe en question se détachait des autres avec une luminosité aveuglante, chacune des facettes était si distincte qu'il pouvait se représenter le marteau préhistorique en détachant les éclats. L'Empreinte collait depuis des millénaires à ce morceau d'obsidienne. La première fois qu'il l'avait vue, Rex avait tout de suite deviné qu'elle avait percé le cœur du monstre.

Cette pointe avait tué un darkling.

Les yeux de Rex savaient aussi distinguer des différences subtiles dans la taille – le sillon central où la hampe se fixait autrefois était plus profond, plus solide, et son tranchant plus acéré. Il y a plus de dix mille ans, cette pointe constituait une pièce de haute technologie, aussi perfectionnée qu'un avion à réaction. Elle était peut-être en pierre, mais elle avait représenté le titane électrolytique de son temps.

— Y en a-t-il une qui… te saute aux yeux? demanda Rex.

Jessica examina attentivement les pointes, le front plissé par la concentration. Rex retint son souffle. La nuit dernière, il s'était demandé ce qu'il éprouverait si Jessica était capable comme lui de voir les lignes et de déchiffrer l'ancien savoir. Au moins aurait-il quelqu'un pour explorer à ses côtés les méandres infinis du savoir ancestral des midnighters, comparer les interprétations de certains récits confus ou contradictoires, lire avec lui.

Quelqu'un avec qui partager les responsabilités si les choses tournaient mal.

— Celle-ci m'a l'air différente.

Jessica indiquait une sorte de truelle, instrument biseauté qui n'avait rien d'une pointe de flèche. Rex relâcha lentement son souffle pour ne pas laisser poindre sa déception.

— Ouais, c'est un autre outil. On s'en servait pour extraire les racines comestibles.

— Les racines comestibles ?

— Nos ancêtres de l'âge de pierre raffolaient des ignames[1].

Il remit ses lunettes.

— D'accord, c'est un extracteur d'ignames. Ce n'est pas ce que tu voulais me montrer, je parie ?

— Non, admit-il. Je voulais savoir si tu remarquerais quelque chose.

— Les traces de l'heure secrète, celles que tu es le seul à voir ?

Rex hocha la tête.

— Je peux dire laquelle de ces pointes de flèches a tué un darkling. L'Empreinte perdure. Je la vois.

Jessica scruta la vitrine et fronça les sourcils.

— Il y a peut-être *en effet* un truc qui cloche avec mes yeux.

— Non, Jessica. Chaque midnighter possède un talent différent. Nous ne savons pas encore lequel est le tien, c'est tout.

---

1. Plante tropicale à tubercule farineux, qui peut être bouilli ou rôti. (*N.d.T.*)

Elle haussa les épaules, puis pointa le doigt.

— Ce squelette est celui d'un darkling, pas vrai ?

Cette réponse le surprit mais il acquiesça, réalisant qu'elle avait déjà vu la créature en chair et en os.

— Waouh ! Alors, ils étaient vraiment là il y a dix mille ans, dit-elle. Ils ne sont pas censés avoir tous disparu ? Comme les dinosaures ?

— Pas à Bixby.

Elle arqua un sourcil.

— Rex, ne me dis pas qu'on trouve encore des dinosaures à Bixby, quand même ?

Il ne put s'empêcher de sourire.

— Pas à ma connaissance.

— Bon ! C'est toujours ça en moins.

Rex la reconduisit sans un mot vers la table. Cela aurait pu tout changer si Jessica s'était révélée voyante. Il avala sa salive, incapable un instant de parler, puis retrouva son discours de la nuit précédente.

— Les darklings ont bien failli disparaître, Jessica, mais au lieu de ça ils se sont retirés dans le temps bleu. Voilà très longtemps qu'ils ne partagent plus tout à fait le même monde que nous.

— Ce devait être excitant, d'être chassé par ces bestioles vingt-quatre heures sur vingt-quatre.

— Vingt-*cinq* heures sur vingt-cinq, rectifia Rex. L'homme n'occupait pas encore seul le sommet de la chaîne alimentaire à cette époque. Il devait affronter les tigres, les ours et les loups. Mais les darklings étaient les plus dangereux. Ils n'étaient pas simplement plus forts et plus rapides, ils étaient aussi plus malins que nous. Pendant longtemps, nous sommes restés sans la moindre défense.

Ils se rassirent à la table, enveloppés par la pénombre du musée. Mélissa regarda Rex avec une expression satisfaite : elle pouvait percevoir sa déception.

— Comment se fait-il qu'il y ait eu des survivants ? s'étonna Jessica.

Dess se pencha en avant.

— Les darklings sont des prédateurs, Jessica. Ils ne voulaient pas éradiquer les hommes, juste en attraper pour se nourrir.

Jessica frémit.

— Un vrai cauchemar…

— Exactement, approuva Rex. (Un petit groupe de visiteurs descendait la rampe, et il baissa la voix.) Imagine que tu passes chaque nuit à te demander s'ils ne vont pas venir te dévorer. Sans que tu aies aucun moyen de les arrêter. Ils ont été nos premiers cauchemars, Jessica. Chaque monstre du folklore, chaque créature mythologique, même notre peur primitive du noir, tout ça provient du souvenir ancestral des darklings.

Dess plissa les paupières et baissa la voix, elle aussi.

— Tous les darklings ne ressemblent pas à des panthères, Jessica. Attends d'avoir rencontré ceux qui font peur pour de bon.

— Oh, génial, dit Jessica en soupirant. Et ils vivent tous à Bixby aujourd'hui ?

— Nous n'en sommes pas sûrs, avoua Dess. Mais, à notre connaissance, minuit n'a lieu qu'ici. Même à Tulsa, à une trentaine de kilomètres seulement, on ne connaît pas le temps bleu.

— Pour une raison ou pour une autre, Bixby est une ville spéciale, dit Rex.

— Super, dit Jessica. Ma mère ne rigolait pas en disant que nous installer ici réclamerait certaines adaptations.

Elle se tassa sur sa chaise.

Rex tâcha de retrouver le fil de son discours.

— N'oublions pas que nous avons fini par prendre le dessus. Petit à petit, nous avons découvert des moyens de nous protéger. Il s'avère en particulier que les darklings ont peur des idées nouvelles.

— Quoi, ce truc a peur des idées ?

Elle jeta un coup d'œil au squelette du darkling de l'autre côté de la salle.

— Des idées nouvelles, comme le métal forgé ou les alliages, expliqua Dess. Ainsi que des nouveaux concepts, comme les mathématiques. Et puis, les darklings ont toujours eu peur de la lumière.

— Le feu fut notre première défense, dit Rex. Ils ne s'y sont jamais habitués.

— Quel soulagement ! ironisa Jessica. Au prochain retour de l'heure secrète, je penserai à emporter un lance-flammes.

Dess secoua la tête.

— Ça ne t'aidera pas. Le feu, les équipements électroniques, les moteurs à explosion, rien de tout ça ne fonctionne dans l'heure secrète. Pourquoi crois-tu qu'on a traversé la moitié de Bixby à vélo la nuit dernière? Pour faire du sport?

— C'est pour ça qu'ils ont créé le temps bleu, renchérit Rex. Il y a plusieurs milliers d'années, après avoir été acculés au cœur des forêts les plus profondes par les armes d'acier et le feu, les darklings se sont inventé un sanctuaire.

— Ils ont *créé* le temps bleu? répéta Jessica.

Rex hocha la tête.

— L'ancien savoir affirme qu'ils auraient pris une heure de la journée et l'auraient condensée de manière qu'elle s'écoule en un instant et ne soit pas perceptible par les hommes.

— Sauf ceux qui sont nés précisément à cet instant, acheva Jessica d'une voix douce.

— Tu as tout compris, dit Dess. Il faut bien qu'il y en ait, tu sais. Le nombre de secondes dans la journée n'est pas infini.

Elle regarda Jessica dans l'expectative.

— Quoi? demanda Jessica.

Rex soupira.

— Elle veut t'entendre lui dire combien il y a de secondes dans une journée.

Jessica haussa les épaules.

— Plein?

— Soixante secondes par minute, insista Dess. Soixante minutes par heure. Vingt-quatre heures par jour.

— Je ne sais pas… (Jessica s'absorba dans la contemplation du plafond.) Beaucoup ?

— Quatre-vingt-six mille quatre cents, répondit sur un ton tranquille Dess. Je me disais que tu étais peut-être, tu sais, particulièrement bonne en maths. Vu que tu es avec moi en trigo.

Jessica renifla.

— C'est une idée de ma mère. Elle me fait suivre tous ces cours pour m'élever au rang de génie incompris.

— Pas de bol, compatit Dess.

Elle regarda Rex en haussant les épaules.

Mélissa gloussa de nouveau. De la musique s'échappait de ses écouteurs.

— À chacun sa croix, dit-elle d'une voix calme.

13

L'ACROBATE

L'an dernier, dans son ancien lycée, ils avaient réalisé une expérience particulièrement répugnante en cours de biologie…

La classe de Jessica avait élevé deux groupes de vers plats dans des terrariums, sortes d'aquariums remplis de terre. Ces vers étaient vraiment plats, avec des têtes triangulaires semblables aux pointes de flèches que Rex appréciait tant. Ils avaient aussi deux petits points qui ressemblaient à des yeux mais n'en étaient pas. Ils étaient sensibles à la lumière, néanmoins.

Dans l'un des terrariums, la classe versait toujours la nourriture des vers dans le même coin, sous une petite lumière qui s'allumait au moment des repas. La lumière était comme une enseigne de restaurant annonçant : « Entrez, nous sommes ouverts. »

Dans l'autre terrarium, on se contentait de verser la nourriture n'importe où.

Les vers plats du premier terrarium n'étaient pas stupides. Ils eurent vite fait de comprendre la signification de la lumière. Il suffisait de pointer une lampe torche sur un endroit précis du terrarium pour qu'ils accourent à la recherche de nourriture. On pouvait même leur faire suivre le pinceau lumineux en cercles si l'on avait envie d'organiser une petite course.

Puis, comme dans tout cours de biologie digne de ce nom, vint le moment vraiment ignoble…

En se servant de la lampe torche comme appât, la classe regroupa tous ces vers rusés dans le premier terrarium. Après quoi le professeur, Mme Hardaway, les déposa dans un bol et les réduisit en purée. Personne n'était obligé de regarder, mais certains élèves le firent. Pas Jessica.

Pour couronner le tout, Mme Hardaway servit ensuite les vers broyés à leurs congénères. Les vers plats mangeaient n'importe quoi, y compris d'autres vers, semblait-il.

Le lendemain, la classe se regroupa autour d'elle et pour la première fois Mme Hardaway plaça la petite enseigne lumineuse au-dessus du second terrarium. Elle laissa Jessica presser l'interrupteur. L'un après l'autre, les vers dressèrent leurs petites têtes plates, avides de nourriture. Ils avaient assimilé le truc de la lumière rien qu'en avalant les vers de l'autre terrarium, comme s'il suffisait de manger des frites pour attraper l'accent belge.

Ce soir-là, assise sur son lit en attendant minuit, entourée de ses cartons, Jessica Day avait comme un arrière-goût de midnighter dans la bouche.

Rex et Dess l'avaient retenue au musée pendant des heures, à lui transmettre tout ce qu'ils savaient des darklings, du temps bleu, des midnighters et de leurs talents, ainsi que de l'histoire secrète de Bixby, Oklahoma. Ils avaient mixé des années d'expériences incroyables et de trouvailles invraisemblables et lui avaient servi le résultat sur un plateau. Et bien sûr, Jessica n'avait pas d'autre choix que de tout avaler jusqu'à la dernière bouchée. L'heure secrète était dangereuse. Ce qu'elle en ignorait risquait de la tuer.

Mélissa avait fini par ôter ses écouteurs pour se joindre à la fête, et lui expliquer en quoi consistait son talent. En fin de compte, c'était elle et non Dess qui lisait dans les pensées – qui lisait *vraiment*, pas au sens figuré. Mais d'une manière qui ressemblait à un calvaire. Elle décrivait cela comme si elle se retrouvait dans une pièce où une cinquantaine de radios hurlaient, toutes réglées sur une station différente. Et Rex avait prévenu Jessica de ne pas toucher Mélissa ; le contact physique augmentait le volume de façon insoutenable.

Pas étonnant que Mélissa paraisse toujours aussi maussade.

Tout en regardant la grande aiguille avaler lentement les minutes, Jessica posa une main sur son ventre noué. Elle avait le trac, comme avant un examen. Et quel examen ! Celui-ci comprenait les maths, la mythologie, la métallurgie, la physique et l'histoire ancienne. Et la moindre mauvaise réponse pouvait vous transformer en pâtée pour les vers.

La journée avait sans doute été beaucoup plus drôle pour Rex, Dess et Mélissa. Depuis des années, ces trois-là gardaient le secret sur leur petit univers. Ils affrontaient seuls les périls et les bonheurs de minuit. À l'évidence, ils devaient être enchantés de pouvoir enfin les partager avec une nouvelle.

Jessica aurait bien voulu se rappeler en détail tout ce qu'ils lui avaient dit. Mais après les deux, trois premières heures, elle avait commencé à souffrir de sa nuit sans sommeil et leurs voix s'étaient brouillées en bourdonnements indistincts. Elle avait fini par leur annoncer qu'elle rentrait.

Surprenant, de constater à quelle vitesse un monde nouveau et mystérieux «totalement incroyable» pouvait devenir «complètement insupportable».

Elle était rentrée à la maison juste à temps pour le dîner. Sa mère se préparait de toute évidence à lui passer un savon à propos de ses cartons non rangés; mais un seul regard sur son visage épuisé, et elle avait changé d'avis.

— Oh, ma pauvre chérie. Tu as travaillé toute la journée, on dirait. C'est à cause de ces cours optionnels auxquels je t'ai inscrite, c'est ça?

Jessica n'avait pas pris la peine de la détromper. Elle avait à moitié somnolé pendant le repas avant d'aller se coucher. Mais elle avait réglé son réveil sur vingt-trois heures trente. Cette fois-ci, elle tenait à être réveillée et habillée quand sonnerait le temps bleu.

Bien qu'elle ait oublié les deux tiers de ce que les midnighters lui avaient inculqué, elle se souvenait du principal. Jessica était donc dotée de trois nouvelles armes: Déliquescence, Fossilisation et Jurisprudence, soit une boucle de câble, une longue vis et une antenne d'autoradio. Elles n'avaient pas l'air bien redoutables, et Dess l'avait prévenue qu'aucune ne serait aussi dévastatrice que la puissante Customisation, mais elle lui avait garanti qu'elles sauraient allumer un darkling comme il convenait. À grands renforts d'étincelles bleues. Jessica lui avait également emprunté quelques recettes afin de créer ses propres pièges. Sa chambre à coucher était désormais sécurisée contre les grouilleurs.

De plus, elle n'avait aucune intention de sortir cette nuit.

Les trois autres midnighters avaient décidé de se rendre dans un lieu que Rex appelait un « site ancien ». Il semblait que la ville avait connu des midnighters depuis qu'elle était soumise à l'heure secrète, certains nés sur place, et d'autres, à l'instar de Jessica, arrivés là par hasard. Des générations de voyants tels que Rex avaient peu à peu amassé des informations à propos du temps bleu et des darklings et les avaient consignées là où seuls d'autres voyants les trouveraient. Dans le désert immuable, d'énormes rochers portaient des runes invisibles qui retraçaient les récits des temps anciens.

Rex voulait faire des recherches sur les raisons qui poussaient les darklings à s'intéresser à Jessica.

— À moins que tu aies été victime d'une coïncidence la nuit dernière, avait-il ajouté sans trop y croire.

— Peut-être qu'ils t'aiment bien, avait ajouté Mélissa en se pourléchant les babines. Comme d'autres aiment la pizza.

Plus que deux minutes à tuer.

Jessica respira à fond et décolla ses pieds du sol. Impossible que des grouilleurs soient déjà là, mais la nuit dernière avait fait ressurgir toutes ses terreurs enfantines. Il y avait des choses sous son lit… Peut-être n'existaient-elles que dans sa tête pour l'instant, mais Jessica les sentait malgré tout.

Elle consulta son réveil, qu'elle avait réglé sur l'heure de Bixby. Dess lui avait expliqué que le « vrai » minuit avait lieu à différents instants dans chaque ville. Les fuseaux horaires n'en rendaient pas tout à fait compte. Cette fois, quand son réveil indiquerait minuit, Jessica Day se trouverait aussi loin que possible du soleil.

Plus qu'une minute.

Jessica ramassa Jurisprudence et la déploya sur toute sa longueur. Elle fendit l'air comme avec une épée. L'antenne radio provenait d'une Chevy de 1976, année qui ne pouvait qu'être, semblait-il, un multiple de treize. Dess la conservait pour une occasion spéciale.

Jessica sourit. C'était le cadeau le plus bizarre qu'elle ait jamais reçu, mais elle devait admettre qu'elle appréciait de le sentir au creux de sa main.

L'heure secrète arriva.

La lumière du plafonnier s'éteignit, remplacée par la lueur bleue familière provenant des quatre coins de la pièce. Le bruit du vent dans les arbres cessa tout à coup. En possession de tous ses esprits, Jessica put bel et bien la sentir pour la première fois et pas uniquement la voir ou l'entendre. Quelque chose d'invisible parut l'attirer, la pousser en avant, comme à l'arrivée d'un parcours en montagnes russes, quand le chariot ralentit puis s'arrête peu à peu. Elle éprouva une sensation de légèreté, ainsi qu'un frémissement subtil dans tout son corps.

Le monde autour d'elle avait cessé de tourner.

— Bon, dit Jessica à voix haute. Nous y voilà.

Elle avait beau savoir que tout était réel, le temps bleu ressemblait toujours à un rêve.

Elle se déplaça dans sa chambre, en touchant les objets pour se rassurer. Les arêtes des cartons étaient toujours aussi rugueuses, les lattes du parquet plus fraîches et plus lisses que jamais.

— Réels, réel, réelle, affirma-t-elle doucement en effleurant du bout des doigts ses habits, son bureau, la tranche de ses livres.

Maintenant que minuit était arrivé, Jessica se demanda ce qu'elle allait faire de cette heure supplémentaire. Quelques minutes plus tôt elle avait entendu ses parents discuter dans la cuisine. Mais elle ne tenait pas à les voir pâles et figés ; elle resterait dans sa chambre.

Elle avait encore beaucoup d'affaires à ranger. Elle ouvrit quelques cartons et y plongea son regard. Mais la lueur bleue dépourvue d'ombre paraissait trop étrange pour une tâche aussi banale. Elle s'assit sur son lit, ramassa le dictionnaire qu'elle avait sorti dès son retour à la maison et l'ouvrit à la recherche de décatrigrammes.

Elle n'en avait trouvé qu'un – *fantasmatique* – quand la lueur lui donna mal à la tête. Les autres midnighters pouvaient probablement lire dans le temps bleu sans difficulté. Peut-être que Mélissa avait raison : il y avait quelque chose qui clochait avec les yeux de Jessica, au moins durant l'heure secrète.

Elle jeta un coup d'œil par la fenêtre mais le monde, immobile, la fit frissonner et elle détourna la tête. Elle avait trop peur d'être observée.

Elle s'allongea sur le dos et se mit à contempler le plafond.

Jessica soupira. L'heure promettait d'être longue.

Peu de temps après, elle entendit un bruit.

Un petit coup très discret, à peine audible malgré le silence absolu. Jessica songea aussitôt à une patte de panthère et se redressa d'un bond sur son lit.

Elle empoigna Jurisprudence et s'assura que Fossilisation et Déliquescence tintaient toujours au fond de sa poche. Depuis son lit, Jessica ne voyait pas grand-chose de la rue mais elle avait trop peur de s'approcher de la fenêtre. Elle longea le mur de sa chambre, tâchant d'apercevoir audehors.

Une forme sombre bougeait sur le trottoir. Jessica se recula hors de sa vue et resserra sa main sur son antenne. Rex et Dess lui avaient promis qu'elle serait en sécurité chez elle. Ils lui avaient affirmé qu'elle en savait suffisamment pour se défendre.

Et s'ils s'étaient trompés ?

Elle avait le dos plaqué à la porte. Elle s'imagina le grand félin en train de se faufiler par l'entrée, longer les couloirs de la maison, se glisser en catimini derrière elle. Il lui paraissait peu vraisemblable que les treize agrafes plantées dans le bois de sa porte opposent la moindre résistance à sa musculature.

On n'entendit plus aucun bruit dehors. La forme qu'elle avait aperçue était-elle encore là ?

Il fallait qu'elle s'en assure.

Jessica se mit à quatre pattes et rampa jusqu'à sa fenêtre. Elle y resta assise, à écouter de toutes ses forces. Le silence total semblait rugir à ses oreilles, comme le grondement de la mer au fond d'une conque.

Elle haussa légèrement la tête pour regarder par-dessus l'appui de la fenêtre.

Un visage la contemplait derrière le carreau.

Jessica fit un bond en arrière, cinglant l'air d'un grand coup de Jurisprudence qui tinta contre la vitre. Elle recula en trébuchant et se cogna contre son lit. La fenêtre coulissa vers le haut.

— Tout va bien, Jessica. Ce n'est que moi, lui lança une voix.

L'antenne d'autoradio brandie devant elle à la manière d'une épée, Jessica cligna des paupières, cherchant à faire coïncider cette voix familière avec le visage qu'elle avait aperçu. Au bout de quelques secondes de stupeur, les rouages de son cerveau s'enclenchèrent et une vague de soulagement et de surprise la balaya.

C'était Jonathan.

Jonathan s'installa sur le rebord de la fenêtre, peu désireux d'entrer. Il semblait redouter un coup d'antenne d'autoradio. Jessica tenait toujours Jurisprudence, qu'elle faisait passer nerveusement d'une main à l'autre.

Assis, une jambe dans le vide, l'autre genou remonté sous le menton, Jonathan n'avait pourtant pas l'air bien menaçant.

Il n'avait pas dit grand-chose depuis son apparition à la fenêtre. Il attendait que Jessica se calme. À l'inverse de leur première rencontre au lycée, à la cantine, il avait les yeux vifs et ne semblait pas du tout amorphe. Peut-être était-il sensible à la lumière du jour, lui aussi.

Jessica était contente qu'il ne cache pas ses yeux derrière des verres fumés, cependant. Il avait de très beaux yeux.

Il regarda Jessica reprendre peu à peu le contrôle d'elle-même, sans faire de commentaire.

— Je ne savais pas que tu étais un midnighter, lâcha-t-elle enfin.

— Les autres ne te l'ont pas dit ? (Il s'esclaffa.) Remarque, c'est logique.

— Ils sont au courant pour toi ?

— Bien sûr. Depuis le jour de mon arrivée.

Jessica secoua la tête avec incrédulité. Six heures de formation accélérée à l'ancien savoir et ni Rex, ni Dess ni Mélissa n'avait jugé bon de mentionner la présence en ville d'un cinquième midnighter.

— Attends une seconde, dit Jess, frappée d'une idée soudaine. Es-tu le seul dont j'ignore l'existence ? Combien êtes-vous en tout ?

Jonathan sourit.

— Il n'y a que moi, dit-il.

— Et pourquoi ne m'ont-ils rien dit? Ils ne t'aiment pas?

Il haussa les épaules.

— Eh bien, je ne fais pas partie du club. Je veux dire, je n'ai rien contre Rex, et Dess est plutôt cool. (Il marqua une pause, visiblement peu désireux d'aborder la question de Mélissa.) Mais ils prennent tout ça beaucoup trop au sérieux.

— Trop au sérieux?

— Ouais. Comme s'ils étaient en mission pour le Conseil mondial des midnighters ou je ne sais quoi.

— Il y a un Conseil mondial des midnighters? demanda Jessica.

Il éclata de rire.

— Non, et pourtant Rex adorerait ça. Il est persuadé que cette histoire de minuit recouvre une signification profonde et mystérieuse.

Jessica cligna des paupières. Il ne lui était pas venu à l'esprit de douter que des forces profondes et mystérieuses soient à l'œuvre. Pour sa part, elle trouvait cette affaire éminemment profonde et mystérieuse.

— Et toi, qu'en penses-tu?

— Je pense que nous avons bien de la chance d'avoir un monde à part, juste pour nous. Pour jouer, l'explorer, faire ce qui nous passe par la tête. Pourquoi vouloir à tout prix nous croire investis d'une mission?

Jessica acquiesça. Depuis l'attaque du darkling, l'heure secrète était devenue un défi contre la mort. Mais son premier rêve avait été magnifique, complètement différent. Un moment... magique.

— Rex considère le temps bleu comme une matière qu'il ne cesse de réviser en vue d'un examen final. Pour moi, ce serait plutôt une cour de récré.

Elle lui jeta un regard noir.

— On croise quand même de sacrés caïds dans ta cour de récré.

Il haussa les épaules.

— Je suis trop rapide pour les caïds. Je l'ai toujours été.

Jessica se demanda comment c'était possible. Mais Jonathan semblait très sûr de lui. Il balançait son pied hors de la fenêtre sans aucune peur.

— Vous donnez tous l'impression d'apprécier l'heure secrète, dit-elle d'un ton maussade. De trouver ce moment très excitant, pour une raison ou pour une autre. Alors que pour moi, c'est un cauchemar. Cette bestiole – ces bestioles – ont essayé de me tuer la nuit dernière.

— C'est ce que Dess m'a raconté.

— Elle t'a parlé de moi?

— Oui, quand Rex t'a remarquée pour la première fois. Et ce matin en me donnant ton adresse. Quoi, tu croyais que je t'avais trouvée en me servant de mes superpouvoirs?

— De l'annuaire, en fait.

Il sourit.

— Ton nom n'y figure pas encore. J'ai vérifié. Mais Mélissa a eu un mauvais pressentiment à ton sujet la nuit dernière, alors Dess m'a appelé.

— Elle t'a donné mon adresse, alors qu'elle n'a pas voulu me parler de toi?

— Elle l'aurait fait, mais pas devant Rex. Lui et moi avons une sorte de… conflit de personnalités. En clair, je pense qu'il devrait en changer. Dess veut rester en dehors de tout cela.

— Oh. (Jessica s'adossa au mur.) Ça devient de plus en plus compliqué.

— Ouais, c'est moche que tu sois tombée aussi tôt sur un darkling, regretta Jonathan. Mais la nuit dernière, tout était bizarre dans la ville. Les darklings fêtaient sans doute le Nouvel An ou un truc comme ça. C'était ta première sortie?

Elle fit mine d'acquiescer, puis secoua la tête. Elle avait failli oublier la nuit précédente. Avec les connaissances et les récits dont Rex et Dess lui avaient farci le crâne tout l'après-midi, elle ne songeait plus qu'aux dangers du temps bleu, et non aux splendeurs de l'orage immobile.

— Ce doit être sympa, dit-elle d'une voix douce, d'être un midnighter heureux.

— Ne m'appelle pas comme ça, protesta-t-il gentiment. Je ne suis pas un « midnighter ». C'est un mot inventé par Rex.

Jessica fronça les sourcils.

— Je le trouve plutôt approprié. Ça dit bien ce que ça veut dire, et ça sonne mieux que « minuitiste », par exemple.

— C'est vrai, concéda Jonathan avec un sourire. Note que je n'ai rien contre le mot « minuit ». Surtout depuis mon déménagement à Bixby.

Jessica respira un grand coup, prit son courage à deux mains et regarda dans la rue. Même avant l'heure secrète, la nuit était déjà splendide, émouvante, théâtrale. On voyait les feuilles mortes tomber des chênes géants comme une nuée d'oiseaux sombres figés en plein vol. Leurs rouges et leurs ors se changeaient en noir dans la lueur bleutée.

Elle se rappela les gouttes de pluie cette première nuit, la manière dont ses doigts les avaient libérées de l'emprise de minuit. Les feuilles reprendraient-elles leur chute à son contact, elles aussi ? Elle eut envie de foncer dedans, de les attraper à pleines mains. À Chicago, elle ne pouvait s'empêcher de briser les stalactites de glace, pour rompre le charme de l'hiver.

Mais à travers les feuilles noires Jessica voyait encore le darkling qui l'avait attaquée. Sa silhouette menaçante pouvait rôder n'importe où parmi les formes figées. Elle frissonna et détourna son regard de la fenêtre.

Sa chambre avait toujours l'air aussi étrange. Elle paraissait fanée dans la lumière bleue, comme un souvenir qui s'estompe. Un peu de poussière flottait dans l'air.

— C'est beau, minuit, reconnut-elle. Mais froid, aussi.

Jonathan fronça les sourcils.

— Je n'ai jamais trouvé ça froid. Ni chaud, d'ailleurs. Ça m'évoque plutôt une belle nuit d'été.

Jessica secoua la tête.

— Je ne voulais pas dire « froid » dans ce sens-là.

— Oh, d'accord, dit Jonathan. Oui. On ressent parfois une sensation de vide. Comme s'il n'y avait plus que nous sur terre.

— Merci. C'est fou ce que tu me rassures.

— Tu n'as aucune raison de redouter minuit, Jessica.

— J'ai seulement la trouille de me faire dévorer.

— Tu n'as pas eu de chance, voilà tout.

— Pourtant, Rex a dit…

— Oublie ce que Rex a pu te dire, l'interrompit Jonathan. Il est beaucoup trop parano. Pour lui, on ne devrait pas explorer le temps bleu avant d'avoir assimilé dix mille ans de connaissances. Comme s'il y avait besoin de lire la notice d'un lecteur DVD jusqu'au bout avant de pouvoir regarder un film. Il est comme ça.

— Tu aurais dû voir le darkling qui s'en est pris à moi, dit Jessica.

— J'ai déjà vu des darklings. Des tas.

— Mais…

Jonathan disparut de la fenêtre, et Jessica retint son souffle. Il avait basculé si vite, tout en souplesse, comme un plongeur passant par-dessus bord. Un instant plus tard, sa tête réapparaissait.

Il lui tendit la main par la fenêtre.

— Viens. Je vais te débarrasser de ta peur.

Jessica hésita. Elle contempla les treize agrafes que Dess lui avait conseillé d'aligner. En les plantant dans le cadre de sa fenêtre et de sa porte, Jessica s'était sentie ridicule. Comment pouvait-on se défendre contre les forces du mal avec de simples agrafes?

Mais les objets n'avaient aucune espèce d'importance, lui avait expliqué Dess. Seul importait leur nombre.

Jonathan suivit la direction de son regard.

— Laisse-moi deviner. Tu es protégée par la puissante magie des trombones?

— Heu, non. La puissante magie des agrafes, en fait.

Jessica se mit à rougir. Elle espéra que rien ne transparaissait dans la lumière bleue.

Jonathan hocha la tête.

— Les astuces de Dess sont parfois bien pratiques. Mais j'ai mes petits trucs, moi aussi. Tu ne risques rien à mes côtés, je te le promets.

Il souriait de nouveau. Jessica s'aperçut qu'elle aimait bien le sourire de Jonathan.

Et prit conscience qu'il n'avait pas peur. Elle soupesa son offre. Il habitait à Bixby depuis deux ans et avait réussi à survivre, et même à s'amuser. Il devait connaître minuit aussi bien que Rex ou Dess.

Avant qu'il apparaisse, elle tremblait toute seule dans sa chambre. Maintenant, elle se sentait en sécurité. Elle courait probablement plus de risques à rester chez elle qu'à sortir en compagnie d'un midnighter – peu importe le nom qu'il voulait se donner – expérimenté.

Jessica replia Jurisprudence, la glissa dans sa poche et enfila ses tennis.

— D'accord, débarrasse-moi de ma peur.

Elle posa un pied sur l'appui de la fenêtre et attrapa la main de Jonathan.

Quand leurs deux paumes entrèrent en contact, Jessica retint son souffle. Elle avait soudain la tête légère, le corps aérien, comme si sa chambre était un ascenseur en chute libre.

— Que… commença-t-elle.

Sans répondre, Jonathan se contenta d'entraîner Jessica par la fenêtre. Elle sortit en flottant, comme gonflée à l'hélium. Ses pieds se posèrent doucement, en rebondissant un peu sur le sol.

— … se passe-t-il? acheva-t-elle.

— C'est la gravité de minuit, dit Jonathan.

— Heu, c'est nouveau pour moi, dit-elle. Comment se fait-il que je n'aie jamais…?

Jonathan lui lâcha la main, et elle recouvra son poids normal. Ses chaussures s'enfoncèrent dans le sol meuble.

Quand elle reprit la main de Jonathan, Jessica conquit à l'instant une sensation de légèreté.

— C'est toi qui fais ça?

Jonathan acquiesça.

— Rex a l'ancien savoir, Dess les nombres, Mélissa… ses trucs. (Il se tourna vers la maison de l'autre côté de la rue.) Et moi, j'ai ça.

Il bondit. Jessica fut emportée à sa suite, comme un ballon gonflable attaché au guidon d'un vélo. Pourtant elle n'eut pas l'impression d'être tirée. En fait, elle eut à peine la sensation de bouger. Le sol se mit à défiler sous ses pieds. Ils survolèrent la rue, frôlèrent des feuilles mortes, tandis que la maison d'en face se rapprochait lentement tel un immense vaisseau qui rentre au port.

— Tu... *voles*, bredouilla Jessica.

Ils se posèrent sur le toit du voisin, aussi légers que des plumes. Elle pouvait désormais découvrir la rue dans sa totalité, la double enfilade de toits qui partait dans deux directions. Fait curieux, elle n'éprouvait aucun vertige, aucune appréhension. Comme si son corps ne suivait plus la loi de la gravité terrestre.

Jessica s'aperçut qu'elle tenait une feuille morte au creux de la main. Elle avait dû s'y nicher alors qu'ils traversaient le tourbillon de feuilles immobiles.

— Tout va bien, lui assura Jonathan. Je te tiens.

— Je sais, souffla-t-elle. Mais... qui te tient, *toi*?

Les semelles de Jonathan effleuraient à peine le toit d'ardoises. On aurait dit une montgolfière impatiente de décoller.

En guise de réponse, il prit la feuille dans sa main. Il la brandit entre deux doigts, puis la relâcha. Au lieu de tomber, elle resta à l'endroit où il l'avait placée dans l'air.

Jessica tendit le bras. Quand elle frôla la feuille, celle-ci tournoya doucement vers le toit, avant de s'y poser. À l'instar des gouttes de pluie, le contact avec Jessica l'avait libérée. Mais Jonathan était différent.

— La gravité ne peut pas fonctionner sans le temps, expliqua Jonathan. Il faut que le temps s'écoule pour qu'une chose puisse tomber.

— On dirait bien.

— Tu te rappelles le chapitre d'introduction de notre livre de physique ? La gravité n'est qu'une déformation de l'espace-temps.

Jessica soupira. Encore un cours auquel elle n'avait rien capté.

— Alors, poursuivit Jonathan, je suppose que je suis un peu plus hors du temps que vous autres. La gravité de minuit n'a aucune prise sur moi. Je ne pèse pratiquement rien.

Jessica s'efforça de mettre un sens sur ces mots. Si les gouttes de pluie pouvaient rester en suspension dans les airs, il paraissait logique qu'une personne le puisse aussi. *Pourquoi les autres midnighters sont-ils soumis à la gravité, alors ?* se demanda-t-elle.

— Donc, tu peux voler.

— Pas comme Superman, rectifia Jonathan. Mais je peux sauter très haut et retomber à n'importe quelle... Hé !

Jessica l'avait lâché sans réfléchir et avait retrouvé d'un coup son poids normal, comme si un collier de briques s'était abattu sur ses épaules. La maison jaillit sous ses pieds, et elle roula le long d'un toit trop incliné. Elle n'était plus faite de plumes, mais bien de chair et d'os. Le vertige la frappa comme un coup de poing dans le ventre.

Elle tendit instinctivement la main pour se rattraper ; ses ongles crissèrent sur l'ardoise. Mais elle continua à rouler et à déraper.

— Jonathan !

Elle atteignit le bord du toit. L'un de ses pieds bascula dans le vide. Le bout de son autre chaussure accrocha la gouttière et lui permit de stopper sa chute ; mais la prise était précaire. Ses doigts, son pied, tout glissait…

Puis la gravité l'abandonna de nouveau.

Jessica sentit Jonathan la retenir par les épaules et l'accompagner en douceur vers le sol.

— Désolé, dit-il.

Le cœur de Jessica battait à tout rompre, mais elle n'avait plus peur. Elle avait aussitôt recouvré cette sensation de légèreté, pareille au soulagement éprouvé après une terrible épreuve.

Ils foulèrent la pelouse.

— Ça va ? s'inquiéta Jonathan. J'aurais dû te prévenir.

— Ce n'est rien, dit-elle en secouant la tête. J'aurais dû faire attention. J'étais en train de penser : dommage qu'on ne puisse pas tous voler.

— Je suis le seul. Quand tu es arrivée, j'ai espéré, mais…

Elle se retourna vers Jonathan. Il avait encore les yeux agrandis par l'inquiétude. Et Jessica ressentit aussi sa déception : elle était tombée, elle n'était pas comme lui.

— Ben ouais, ç'aurait été cool. (Elle lui prit fermement la main.) Fais-moi encore voler. D'accord ?

— Tu n'as pas peur ?

— Un peu, reconnut-elle. Débarrasse-moi de ma peur.

Ils volèrent.

C'est vrai que Jonathan n'était pas Superman. Voler ne se faisait pas sans mal. Jessica s'aperçut qu'ils décollaient plus vite quand elle accompagnait ses bonds, en poussant de toutes ses forces. Le minutage était délicat – si l'un d'eux poussait trop tôt ou trop fort, ils s'éloignaient l'un de l'autre à bout de bras puis tournoyaient sans pouvoir s'en empêcher, en riant, jusqu'à ce que le sol les rattrape. Mais ils s'amélioraient au fil des sauts et réussirent bientôt à coordonner leurs efforts pour s'envoler de plus en plus haut.

Jessica serrait très fort la main de Jonathan, nerveuse, excitée, à la fois terrifiée par les darklings et folle de joie de se retrouver en plein ciel.

Voler était magnifique. Les rues bleu pâle scintillaient sous eux comme des rivières tandis qu'ils traversaient de hautes colonnes de feuilles mortes brassées par le vent. Ils croisaient en outre des oiseaux aux ailes déployées, portés par les vents immobiles. La lune sombre luisait au-dessus de leurs têtes, presque entièrement levée, mais elle n'occultait plus le ciel de manière aussi oppressante que la dernière fois. D'en haut, Jessica pouvait apercevoir la bande d'étoiles qui s'étirait au ras de l'horizon, semis de têtes d'épingles à la blancheur inaltérable.

Le plan de Bixby lui était encore peu familier, mais maintenant que Jessica pouvait contempler la ville d'en haut, étalée sous ses yeux comme une carte, elle commençait à s'y retrouver. Au sommet de leurs sauts les maisons et les arbres paraissaient minuscules, parfaits – un univers de poupées. Jonathan devait avoir une perception du monde tout à fait personnelle, réalisa-t-elle.

Ils gagnèrent les limites de la ville, où les maisons se raréfiaient à l'approche du désert. Leur progression devint plus facile ; ils n'avaient plus à éviter les bâtiments, les magasins ou les rues bordées d'arbres. Bientôt, Jessica put porter son regard jusqu'aux arbustes rabougris qui poussaient au flanc des collines rocailleuses.

Le désert.

Elle se mit à scruter le sol avec anxiété, attentive au moindre mouvement, croyant distinguer les formes trapues des darklings sous chaque arbuste. Mais tout semblait immobile sous leurs pieds, petit et insignifiant tandis qu'ils traversaient le ciel. Elle prit conscience qu'ils filaient beaucoup plus vite que la panthère, que chacun de leurs bonds valait cent foulées du félin géant.

Jonathan était bel et bien plus rapide que les caïds.

Il l'entraîna vers l'un des grands châteaux d'eau en dehors de Bixby. Ils se posèrent au sommet – un toit en terrasse avec un garde-fou – la ville d'un côté, la noirceur du désert de l'autre.

— Laissons souffler nos mains deux minutes, dit-il.

Ils se lâchèrent. Jessica était prête cette fois-ci, et elle plia les genoux pour amortir son poids.

— Ouille, dit-elle en se massant les doigts. (Elle s'aperçut qu'elle avait tous les muscles endoloris. Jonathan décrispa sa main avec une grimace douloureuse.) Oups, désolée. Je ne voulais pas jouer les crampons.

Il éclata de rire.

— Mieux vaut ça que s'écraser sur le bitume.

— Ça oui! (Elle s'avança prudemment jusqu'au bord de l'édifice, une main sur le garde-corps. Quand elle se pencha au-dessus du vide, son estomac se noua.) C'est bon, mon vertige est toujours intact.

— Tant mieux, approuva Jonathan. Moi, un jour, je finirai par oublier qu'on n'est plus à minuit et je sauterai d'un toit. Ou alors, j'oublierai l'heure et la gravité reviendra d'un seul coup au beau milieu d'un saut.

Jessica se tourna vers lui, posa la main sur son épaule et retrouva sa légèreté.

— Surtout, ne fais pas ça.

Elle rougit et le lâcha. Elle avait l'air grave.

Il sourit.

— Cool, Jessica. Je plaisantais.

— Appelle-moi Jess.

— D'accord, Jess.

Son sourire s'illumina.

— Merci de m'avoir emmenée voler.

— Il n'y a pas de quoi.

Jessica se détourna, un peu gênée.

Elle entendit un bruit de mastication. Jonathan croquait dans une pomme.

— Tu en veux une ?

— Heu, non merci.

— J'en ai quatre.

Elle cligna des paupières.

— Tu ne t'arrêtes donc jamais de manger ?

Jonathan haussa les épaules.

— Je te l'ai dit, j'ai besoin d'engloutir chaque jour l'équivalent de mon poids.

— C'est vrai ?

— Non. Mais voler me donne faim.

Jessica sourit et regarda la ville. Elle se sentait en sécurité pour la première fois depuis que son « rêve » avait viré au cauchemar.

Son regard se posa sur un oiseau à l'horizon, éclairé par la lune qui commençait à décliner. Elle se sentait si bien, si légère à l'intérieur, qu'elle mit un moment à réaliser l'étrangeté de la situation.

L'oiseau *bougeait*.

— Heu, Jonathan, il n'y a pas un truc qui cloche dans le tableau ?

Il suivit son regard.

— Oh, ça. Ce n'est qu'un grouilleur volant.

Elle hocha la tête, en avalant avec difficulté.

— J'en ai vu plusieurs la nuit dernière.

— C'est ainsi que les appelle Dess en tout cas, précisa Jonathan. Même si ce nom, « grouilleur volant », m'a toujours paru contradictoire. Mais qu'ils rampent ou qu'ils volent, ça n'a pas d'importance. Ils se transforment, tu vois?

— Oui, je suis au courant. (Elle se souvint de l'animal en forme de chat qui l'avait entraînée loin de chez elle avant de se métamorphoser en serpent. Le grouilleur volant décrivait un large cercle autour d'eux. La lune brillait à travers ses ailes membraneuses.) Ces bestioles me fichent la trouille.

— Ne t'en fais pas. Ils n'attaquent jamais. (Il plongea la main dans sa chemise et en sortit une chaîne avec de gros maillons en acier.) Et si celui-ci décidait de nous embêter, j'ai les trente-neuf maillons d'Oblitératrice pour nous défendre.

Jessica frissonna.

— Je me suis fait mordre par un grouilleur la nuit dernière. Enfin, mordre... Il m'a touchée, quoi.

— Ouille. Tu avais dérangé un nid, ou quoi?

Elle jeta un regard acide à Jonathan.

— Non, je n'avais rien osé d'aussi débile. Ils étaient toute une bande à me poursuivre avec le darkling. Il s'est faufilé dans l'herbe et m'a fait ça.

Elle lui montra la marque.

— Beurk! Sales bestioles... Mais celle-ci ne nous ennuiera pas, je te le promets, Jess.

— J'espère que non.

Elle se frotta les bras. L'air était plus froid là-haut, comme si le vent glacial du désert subsistait dans le temps bleu. Jessica regretta de ne pas avoir pris un sweat-shirt.

Jonathan lui posa la main sur l'épaule. Sa légèreté revint, et avec elle la sensation de chaleur et de sécurité.

Ses pieds décollèrent un instant du sol, elle eut l'impression d'être un bouchon dansant à la surface de l'eau. Elle frissonna de nouveau, mais plus sous l'effet du froid.

— Jessica ? dit Jonathan.

— Je t'ai dit de m'appeler Jess.

— *Jess !*

La voix de Jonathan n'était pas normale. Il scrutait le désert loin de la ville. Elle suivit son regard.

Un darkling approchait.

Il ne ressemblait en rien à celui de la nuit précédente. Il se transformait tout en volant, dans un ondoiement de muscles – d'abord serpent puis tigre, oiseau de proie, tandis que les écailles, le poil et les plumes se brouillaient sur sa peau frémissante et que ses ailes immenses brassaient l'air avec un bruit de drapeau qui claque au vent.

Lui aussi savait voler, et vite. Il se ruait droit sur eux.

Mais Jonathan avait déjà vu beaucoup de darklings, se rappela Jessica. Il était sorti à minuit des centaines de fois. Il était trop rapide pour les caïds.

Elle se tourna vers lui. Il restait bouche bée.

Jessica comprit qu'il n'avait encore jamais rencontré de darkling comme celui-là.

14 | 00h00

LES BÊTES DE PROIE

Une vague de terreur submergea Jessica. Qu'avait-elle retenu de son après-midi au musée ? Quelques bribes effleurèrent son esprit.

— Jonathan, ce château d'eau est en acier, non ?

Il secoua la tête.

— Non. Il n'y a rien de pur si loin de la ville.

— Oh, c'est vrai. Alors, que…

— On file.

Ils se prirent par la main et s'avancèrent au bord du château d'eau. Jonathan posa le pied sur le garde-fou, imprima une légère poussée. Ils flottèrent en équilibre précaire sur la rambarde.

— Un, deux…

Bien qu'elle ne pèse presque plus rien, Jessica sentait ses chaussures déraper. Elle ploya les genoux tandis que Jonathan et elle se penchaient lentement en avant. Elle ne voyait plus que le sol dur en contrebas.

— … *trois !*

Ils poussèrent. Jonathan avait bien calculé son coup, réalisa Jessica. Le terrain rocailleux défila sous eux plus vite que jamais. Propulsés vers l'avant plutôt que vers le haut, ils virent le sol se rapprocher en un clin d'œil.

— Ce parking, là-bas, indiqua Jonathan de sa main libre. Continue à sauter, bas et fort.

Le vaste parking de l'usine offrait une piste d'atterrissage idéale. Quelques semi-remorques se trouvaient bien garés au milieu mais pour le reste, il était dégagé. Tout en descendant, Jessica jeta un coup d'œil derrière elle. Le darkling les poursuivait toujours.

Ils touchèrent l'asphalte et redécollèrent d'un bond qui les catapulta par-dessus les poids lourds, presque jusqu'à l'autre bout du parking.

— Par ici, cria Jonathan en lui tirant la main dans la bonne direction.

Ils bondirent vers une bretelle d'autoroute qui longeait l'usine. Imitant Jonathan, Jessica s'appliqua à conserver une trajectoire basse. Il ne s'agissait pas de gaspiller l'énergie à s'envoler le plus haut possible. Seule importait la vitesse.

Ils redescendirent vers l'autoroute, sur une portion déserte. Ils avaient encore une large avance sur le darkling.

— Et maintenant, par où ? cria Jessica.

— On suit l'autoroute !

Quand ils touchèrent le sol, Jonathan lui pressa la main, afin de la prévenir à quel moment pousser.

Ils firent deux bonds de plus sur l'autoroute, une cible facile avec ses quatre voies. Ils progressaient vite. Jessica jeta un nouveau coup d'œil derrière elle ; elle eut l'impression que le darkling perdait du terrain.

Mais aux abords de Bixby, l'autoroute se réduisit à deux voies et les voitures se firent plus nombreuses. Jonathan hésitait à chaque saut désormais, en calculant avec fièvre leur trajectoire jusqu'à la prochaine zone dégagée.

Leurs bonds devinrent mesurés. Ils volaient de plus en plus lentement.

Un saut erratique les entraîna vers une maison et son toit incliné. À la réception, Jonathan dérapa et ils rebondirent en tournoyant. Le darkling s'était rapproché.

Ils se hâtèrent de regagner la route.

— Il y a trop de monde par ici, s'écria Jonathan. Sortons plutôt de la ville.

— Vers le désert ?

— Oui. On aura toute la place qu'on voudra.

— Ce n'est pas de là que viennent les créatures ? s'inquiéta-t-elle.

— Si. Mais ici, nous sommes trop lents.

Jessica jeta un coup d'œil à la bête qui les talonnait. Elle avait cessé de se métamorphoser, arrêtant son choix sur une mince silhouette reptilienne qui présentait un bec. Son envergure avait doublé, comme si elle avait transféré une partie de sa masse vers ses ailes. Elle semblait désormais plus rapide et gagnait du terrain.

— D'accord.

À la réception suivante, ils obliquèrent vers la lisière de la ville. Jessica reconnut soudain l'endroit.

— Ma mère travaille près d'ici. Au prochain saut :
par là !

— Hein ? Ce n'est pas ta mère qui va nous aider, Jess.

— Boucle-la et suis-moi.

Jessica sentit la main de Jonathan se crisper, lui résister
un moment, mais au bond suivant il partit avec elle. Au
sommet de leur courbe ils survolèrent la grille d'Aerospace Oklahoma. Mme Day était passée devant avec Jessica
le jour de la rentrée, ce qui avait d'ailleurs failli les mettre
en retard. Le complexe était immense, avec çà et là, des
hangars à avions ou des bâtiments trapus, mais surtout des
pistes d'envol et des terrains plats. On y testait des ailes, des
trains d'atterrissage et des réacteurs, et la mère de Jessica lui
avait raconté que la compagnie possédait même un vieux
Boeing 747 auquel on mettait le feu de temps en temps afin
de s'entraîner à la lutte anti-incendie.

Tout cela réclamait beaucoup d'espace.

Ils enchaînèrent trois longs sauts, avalant une piste à la
vitesse d'un avion à réaction. Puis ils filèrent au-dessus d'un
hangar et atterrirent au bout d'une autre piste. Le darkling
se retrouva largement distancé.

Le cri de la bête parvint à leurs oreilles. Au contraire du
feulement de la panthère il était aigu, perçant, et vrilla les
tympans de Jessica comme le sifflement d'une bouilloire.

Un concert de piaillements lui répondit alors.

— Le désert est droit devant, dit Jonathan.

Jessica hocha la tête et ajouta d'une voix douce :

— Ils nous attendent.

La lune descendait désormais au ras de l'horizon et sur sa face sans lumière, quoique aveuglante, évoluait une nuée de grouilleurs volants. Il y en avait des centaines, à tournoyer en une masse chaotique, accompagnés de deux silhouettes plus importantes – des darklings ailés.

— C'est trop bizarre, souffla Jonathan. Je n'avais encore jamais vu…

— Par ici, l'interrompit Jessica alors qu'ils touchaient le sol.

Elle le tira sur le côté, afin de contourner l'armada. Trop tard : Jessica sentit ses doigts glisser. Elle lança son autre main vers Jonathan mais dans leur élan, ils furent arrachés l'un à l'autre.

— Jess ! s'écria Jonathan.

En le lâchant, elle sentit la gravité reprendre d'un coup ses droits. Ils venaient de quitter le sol et elle ne tomberait pas de bien haut, mais l'asphalte défilait sous elle. C'était comme regarder la rue, par la vitre ouverte d'une voiture lancée à vive allure. Elle se roula en boule.

Juste avant qu'elle ne touche le sol, l'asphalte parut changer de texture pour devenir soudain sombre et irrégulier. Elle atterrit sur une surface étonnamment souple. Elle roula longtemps sur elle-même, écorchée de toutes parts.

La jeune fille finit par interrompre sa cascade, meurtrie, à bout de souffle. Elle demeura allongée une seconde, écrasée par la sensation de son propre poids. Lorsqu'elle put de nouveau respirer, une odeur d'herbe fraîche lui emplit les narines. Voilà ce qui avait amorti sa chute…

Jessica s'assit lentement. Elle regarda autour d'elle.

Elle avait manqué la piste d'un cheveu et atterri dans les broussailles. Elle avait dans la bouche le goût métallique du sang, la tête lui tournait, mais ses bras et ses jambes semblaient en état de fonctionner.

Elle entendait les grouilleurs devant et derrière elle, qui se rapprochaient. Leurs silhouettes nombreuses se découpaient à distance sur l'immense lune sombre, pareilles à un essaim de frelons. Jonathan n'était pas en vue.

Son corps lui faisait l'impression d'être lourd comme du plomb, maintenant qu'elle ne pouvait plus voler mais juste courir.

Elle se releva à grand-peine et se mit à marcher en faisant la grimace.

— Jess!

Jonathan fondait sur elle au ras du sol, un bras tendu.

Elle lui donna sa main droite. Le garçon lui attrapa le poignet au passage et elle fut de nouveau transformée en ballon de baudruche, aspirée dans son sillage. Les écorchures de ses mains se rappelèrent à son bon souvenir et lui arrachèrent un cri.

— Ça va?

— Oui. Juste un peu sonnée.

— Je te croyais morte!

Elle émit un gloussement nerveux, presque hystérique.

— Et moi, je te croyais en route pour le Texas.

Jonathan ne dit mot et se contenta de resserrer sa prise.

— Merci d'être revenu, dit Jessica.

Sa voix était curieusement fêlée, et elle se demanda si elle s'était cogné la tête. Elle éprouva un vertige : souffrait-elle d'une commotion cérébrale, ou était-elle en train de tomber amoureuse ?

— Ils nous encerclent, dit-il.

Jessica cligna des paupières, tâchant de reprendre ses esprits. Elle distinguait une nuée de grouilleurs à leur droite, un darkling solitaire à leur gauche, et ils en avaient sans doute d'autres sur leurs talons. À découvert, ils avaient regagné de la vitesse, mais une douleur à la cheville lançait Jessica à chaque rebond ; ils seraient bientôt en plein désert et si un nouveau groupe de poursuivants se dressait devant eux, ils n'auraient plus aucune issue.

Soudain Jessica aperçut une charpente de poutrelles métalliques à sa droite. Un nouveau bâtiment de plusieurs étages s'élevait à la lisière du complexe.

— De l'acier, s'écria-t-elle.

— Quoi ?

Elle pointa le doigt.

— De l'acier flambant neuf, que minuit n'a pas encore eu le temps de toucher.

— Espérons-le.

Des bruits de poursuite leur parvenaient de tous côtés. Piaillements, couinements, croassements, comme s'ils étaient piégés à l'intérieur d'une volière. Alors qu'ils obliquaient en direction du chantier, des grouilleurs volants se rapprochèrent.

Jessica sortit Jurisprudence et se servit de ses dents pour la déplier sur toute sa longueur. Le bâtiment ne se trouvait plus qu'à quelques sauts.

Elle repéra le grouilleur juste avant qu'il n'attaque.

Ses ailes membraneuses lui enveloppèrent le visage. Jessica les cingla à grands coups de Jurisprudence, et des étincelles bleues emplirent son champ de vision. Puis la créature disparut.

— Ils essaient de nous séparer, cria Jonathan.

Jessica sentit un froid s'insinuer dans son épaule. Son assaillant avait frappé leurs mains jointes ; il savait que la jeune fille ne pouvait pas voler seule.

Un autre grouilleur s'approcha, mais elle le mit en fuite grâce à son antenne crépitante.

Un dernier bond les propulsa vers la charpente métallique. Ils se reçurent sur une poutrelle tendue de câbles.

— Je te lâche, prévint Jonathan.

Jessica eut à peine le temps d'assurer son équilibre. Une seconde plus tard, elle retrouvait son poids et elle tombait à genoux, cramponnée à la poutrelle.

Jonathan fit passer son collier par-dessus sa tête, puis l'enveloppa autour de son poing.

— Fantasmatique, murmura Jessica à l'acier.

— Si seulement nous arrivons à tenir quelques… commença Jonathan, avant de s'étrangler. Nom de…

La forêt d'acier qui les entourait s'embrasa brusquement – mais la lumière était blanche, et non bleue. Le monde retrouva ses couleurs, tandis que les poutrelles métalliques prenaient une teinte rougeâtre. Le visage et les mains de Jessica virèrent au rose, ceux de Jonathan au brun clair.

Soudain des formes paniquées se mirent à voleter autour d'eux, sifflant au passage comme des fusées. Les grouilleurs se jetaient à l'intérieur du bâtiment dans la lumière blanche et s'arrachaient en hurlant des poutrelles, une traînée d'étincelles dans leur sillage.

La nuée de grouilleurs se déploya au-dehors et encercla le chantier. Jessica et Jonathan se retrouvèrent dans l'œil du cyclone. Les créatures blessées feulaient aux alentours, mais aucune n'osait plus pénétrer dans la charpente d'acier.

Jessica distingua trois darklings à l'orée de la lumière. Leurs silhouettes passaient par d'horribles transformations. Leurs yeux jetaient des reflets indigo.

L'un d'eux poussa un grondement sourd, long et modulé, comme s'il prononçait des mots, des phrases ; mais il n'était pas plus intelligible que des crissements d'ongles sur un tableau noir.

Puis les trois darklings se détournèrent et s'enfuirent. Les grouilleurs volants se regroupèrent en une masse énorme, qui partit à son tour en direction du désert.

— La lune est en train de se coucher, dit Jonathan.

Jessica hocha la tête, incapable de parler.

— Nous ferions mieux de descendre.

Bien sûr, songea Jessica. D'ici quelques minutes, Jonathan ne pourrait plus voler. Ils se retrouveraient coincés au sommet de la charpente.

Elle lui tendit la main, et il la prit. Ils bondirent de la poutrelle et flottèrent en douceur jusqu'au sol. La lumière blanche s'estompa peu à peu pour laisser place à la lueur bleue et paisible de l'heure secrète.

— C'était quoi, ça? demanda-t-elle. Ce qui nous a sauvés?

— Je ne sais pas trop, avoua-t-il. Peut-être l'acier?

— Je lui ai donné un nom de treize lettres… suggéra-t-elle.

Jonathan lâcha un petit rire.

— Quoi, à tout le bâtiment?

— Je suppose. La partie sur laquelle on se tenait, en tout cas.

Il secoua la tête.

— On peut charger une bague ou un collier, et Dess peut baptiser des trucs encore plus gros s'ils ont une forme appropriée, mais pas un immeuble entier. Peut-être que cet endroit renferme un alliage inconnu. Dans quoi travaille ta mère, exactement?

— Dans la recherche aérospatiale.

— Hmm. (Jonathan hocha la tête.) Il faudrait creuser par là. C'était trop cool. (Il contempla le bâtiment au-dessus de leurs têtes.) Je voudrais bien avoir une paire de coups-de-poing américain du même alliage. À moins que ce ne soit simplement parce que le temps bleu tirait à sa fin. Une tonne d'acier en conjonction avec le coucher de la lune.

Jessica haussa les épaules. Un nouveau mystère à résoudre pour Rex, semblait-il.

Puis une pensée horrible la frappa.

— Combien de temps nous reste-t-il? s'inquiéta-t-elle.

Jonathan jeta un coup d'œil à la lune.

— À peine une minute à mon avis. J'ai l'impression que nous allons devoir rentrer à pied.

— À condition d'arriver à sortir de là.

— Hein?

— On fait des recherches top secret pour la défense, ici, Jonathan, expliqua-t-elle en toute hâte. Ma mère a dû subir une enquête, elle a été interrogée par le FBI et a donné ses empreintes digitales à deux reprises. Ils ont des vigiles partout, et le site est protégé par un grillage immense.

— Super, dit-il en scrutant l'horizon. (Il tendit le doigt en lui prenant la main.) Au mur, vite!

Elle acquiesça.

— Un, deux…

Ils bondirent en direction de la ville.

Il leur fallut plusieurs sauts pour arriver en vue du grillage. Celui-ci s'élevait au moins à une dizaine de mètres.

— Oh, mince, souffla Jonathan.

— Quoi? On peut le franchir sans problème.

Il accentua sa pression sur ses doigts.

— En général, j'évite de voler aussi près du coucher de la lune. Ça n'a rien de drôle de se prendre la gravité en pleine face au sommet d'un bond.

— Je suis au courant, lui rappela Jessica.

— Oh, c'est vrai.

Le grillage se rapprochait. Jessica distingua le fil de fer barbelé qui le coiffait, tel un long tortillon hérissé d'épines. La lumière se modifiait peu à peu ; le monde commençait à reprendre des couleurs.

— Il ne nous reste plus très longtemps, prévint Jonathan.

Jessica respira profondément. S'ils étaient surpris ici, on accuserait sa mère. Elle pourrait faire une croix sur son job.

— Un dernier saut, cria-t-elle. Allez !

Ils se propulsèrent par-dessus le grillage, dépassant les barbelés d'au moins six bons mètres.

— Oh non, gémit Jonathan. J'ai l'impression qu'on a poussé un peu…

— Trop fort ? acheva-t-elle.

Ils continuèrent à s'élever dans les airs.

La lune disparaissait derrière les collines. Loin devant eux, les arbres viraient au vert. Jessica eut l'impression d'assister à un coucher de soleil, à ce moment précis entre le jour et la nuit, quand la lumière passe d'est en ouest sur la planète. Le temps et la gravité pouvaient s'abattre sur eux d'un instant à l'autre.

— C'est pas bon, se lamenta Jonathan.

Ils continuaient à filer en plein ciel, totalement impuissants.

Jessica se creusa les méninges. Ils devaient à tout prix perdre de la hauteur. Si seulement ils avaient quelque chose de lourd…

L'idée la frappa comme une évidence. Ils avaient quelque chose de lourd : elle.

— Passe-moi ta chaîne, ordonna-t-elle.

— Quoi ?

— Tout de suite ! aboya-t-elle.

Jonathan dénoua Oblitératrice de son poing. Elle la lui arracha des doigts. Les maillons paraissaient solides. Elle la serra dans sa main libre.

— Attrape l'autre bout. Et tiens bien !

Il s'exécuta.

De l'autre main, elle lâcha Jonathan.

— Jess, non !

Elle tomba comme une pierre. La chaîne se tendit et tira Jonathan vers le bas.

— Jess !

Il avait les yeux fous de terreur.

Lorsqu'elle jugea qu'ils descendaient assez vite, elle tira sur la chaîne pour le rapprocher d'elle. Leurs mains se cherchèrent et, avec la chaleur de sa paume, Jessica retrouva aussi sa légèreté.

Ils continuèrent à descendre sur leur lancée, mais tout en douceur grâce à la gravité de minuit.

Jonathan la serra dans ses bras. Jessica s'aperçut qu'elle tremblait.

— Je n'avais encore jamais lâché personne, confessa-t-il. Et cette nuit, je t'ai laissée tomber deux fois.

L'herbe reprenait sa couleur habituelle en dessous d'eux. Ils parvinrent à la hauteur des arbres, puis leurs pieds touchèrent le sol en souplesse.

Ils retrouvèrent leur poids normal quelques secondes plus tard.

— Bah, jamais deux sans trois, dit Jessica.

Elle tremblait toujours.

Ils restèrent là, à se regarder dans le blanc des yeux.

Puis ils se lâchèrent enfin.

— Ouille, fit Jonathan.

Jessica gloussa, en se massant les doigts.

— *Ouille*, c'est le mot.

Jonathan éclata de rire.

— Tu as une sacrée poigne, Jess. J'ai l'impression de m'être coincé les doigts dans une porte. Tu parles d'un crampon.

— Moi ? rétorqua-t-elle, en riant à son tour. *Ma* main me fait l'impression d'être passée sous un camion !

Ils riaient encore quand la voiture de police les cueillit dans ses phares.

15 | 00h01

LE COUVRE-FEU

La voiture de police se rangea sur le bas-côté, chassant un peu de gravier lorsqu'elle s'immobilisa.

Jonathan attrapa la main de Jessica et fléchit les genoux, d'instinct, pour bondir ; il visualisait la trajectoire précise qui les emporterait loin de la voiture, jusqu'au toit de la maison de l'autre côté de la route. Il voyait l'angle d'atterrissage, la manière dont le bond suivant les entraînerait hors de vue derrière l'autre pâté de maisons. En liberté.

Mais ses jambes se dérobèrent sous lui et Jonathan se souvint qu'il était lourd, massif, cloué au sol : il ne pouvait plus voler.

Les muscles de ses cuisses lui faisaient mal. Il se redressa en grimaçant. Il se sentait incapable de courir ; pendant plusieurs minutes, son corps lui donnerait l'impression d'être en pierre. Dans ces moments affreux qui suivaient l'heure secrète, respirer lui coûtait déjà un effort.

Une sensation familière de claustrophobie l'envahit. Il se retrouvait coincé dans le temps ordinaire. Coincé par la police, par le couvre-feu de Bixby, par cette chape suffocante, implacable, que constituait la gravité. Comme un insecte piégé dans du papier tue-mouches.

Il ne pouvait qu'étreindre la main de Jessica.

Les portières de la voiture s'ouvrirent et une lampe torche éblouit le garçon Il détourna la tête et se couvrit les yeux.

— Inutile de te cacher, Martinez ! lança une voix grave, en riant. J'ai reconnu ta petite gueule.

Jonathan sentit son cœur se serrer, mais rétorqua :

— Éteignez ce truc, Saint-Claire. On ne va pas se sauver.

Il entendit un crissement de bottes, puis la main du shérif Clancy Saint-Claire s'abattit sur son épaule. On aurait dit une masse qui l'enfonçait dans des sables mouvants.

— Jonathan Martinez, t'as raison pour une fois !

— Hé, Clancy, t'aurais parié que Martinez finirait par se dénicher une petite amie ? lança une deuxième voix depuis la voiture.

— Hmm. Non, je dois dire que ça m'épate. (Puis la voix de Saint-Claire se radoucit.) Nom de Dieu ! Qu'est-ce qui t'est arrivé, petite ?

Jonathan réussit à ouvrir les yeux, en plissant les paupières. Jessica avait l'air hébétée, meurtrie ; ses traits étaient d'une pâleur mortelle dans le faisceau de la lampe. Son jean était maculé de taches d'herbe et de sang au niveau des genoux, et l'heure qu'ils venaient de passer à voler n'avait pas arrangé sa coiffure.

— Je suis tombée, répondit-elle timidement.

— Tombée, hein? Je veux bien te croire. (Jonathan sentit la main du shérif se resserrer sur son épaule.) Je n'ai pas l'impression de te connaître, petite.

— Je m'appelle Jessica Day.

— Quel âge as-tu?

— Quinze ans.

— Dis-moi, Jessica Day, j'imagine que tes parents ne savent pas où tu es?

La lampe s'éteignit, et Jonathan se retrouva un moment aveugle. Il entendit Jessica retenir son souffle en s'efforçant de trouver un moyen d'éluder la question. Avec un accent de défaite dans la voix, elle finit par répondre:

— Non. Ils me croient à la maison, dans mon lit.

— Eh oui, petite. C'est bien là que tu devrais te trouver.

On fit asseoir Jessica à l'arrière de la voiture pendant que Saint-Claire parlait dans sa radio, attendant l'arrivée des renforts. La police de Bixby aimait bien faire les choses en grand.

Jonathan aurait voulu pouvoir lui parler, au moins lui glisser quelques mots. Lui expliquer que tout ça n'était pas si grave. La police la raccompagnerait chez elle et réveillerait ses parents. Lui-même avait déjà connu ça à plusieurs reprises au cours des deux dernières années. Son père se montrerait plus bougon que d'habitude pendant quelques jours, mais il lui avait trop souvent raconté ses frasques d'adolescent pour rester fâché longtemps.

« Je ne me suis jamais fait arrêter, papa, seulement raccompagner par la police. » C'était la phrase magique. Son père ne pouvait pas en dire autant.

Quant à Jessica, elle montait pour la première fois dans un véhicule de police. Elle restait assise sur la banquette arrière, la tête entre les mains, seule et immobile, sans oser regarder le garçon.

C'était horrible de se voir coincé comme ça, cloué au sol, sans pouvoir l'aider. Ils avaient réussi à échapper à trois énormes darklings, tout ça pour tomber entre les pattes d'un guignol comme Saint-Claire. Jonathan se sentait impuissant. Pire : coupable, comme s'il avait encore lâché Jessica. Pour la troisième fois.

Tout se déroulait si bien jusqu'à l'apparition des darklings. Il n'avait jamais eu autant de plaisir à voler avec quelqu'un. Jessica semblait savoir d'instinct comment sauter, comme si elle était acrobate elle aussi, comme s'ils étaient connectés l'un à l'autre. L'idée qu'ils puissent ne jamais recommencer le glaçait d'effroi. Mais après une nuit pareille, Jessica voudrait-elle encore lui adresser la parole ?

Il respira à fond, en s'exhortant au calme. Il irait la trouver chez elle demain à minuit pour s'assurer qu'elle allait bien.

Une autre paire de phares finit par se montrer. Deux adjoints raccompagnèrent Jessica tandis que Saint-Claire poussait Jonathan dans la deuxième voiture, avant de se glisser près de lui.

Le colosse écrasa les ressorts de la banquette arrière. Jonathan se sentait minuscule à côté de lui. L'adjoint mit le contact, et la voiture s'élança sur la route.

— Toi et moi allons avoir une petite discussion, Martinez.

— Oui, ça faisait longtemps, Saint-Claire.

Le shérif soupira, modifia sa posture. Il fit pivoter Jonathan et le fixa droit dans les yeux.

— Écoute, mon gars. Que tu te balades tout seul la nuit, c'est une chose. Et je me fiche pas mal de ce qui peut t'arriver.

— Tant mieux.

— Mais que tu entraînes avec toi une gentille petite comme celle-là, c'est grave !

Jonathan poussa un soupir de frustration.

— Je la raccompagnais simplement chez elle. Tout allait bien jusqu'à votre arrivée.

La grosse main du shérif s'écrasa sur son épaule et l'enfonça dans son siège. Jonathan sentit sa claustrophobie monter.

— Elle n'avait pas l'air d'aller si bien que ça, Martinez.

— C'était un accident. Elle vous l'a dit.

— Oui. Mais si elle change de version ou si ses parents portent plainte, tu risques de gros ennuis.

Jonathan se détourna et regarda par la vitre. C'était la première fois qu'il emmenait Jessica voler, et ils se faisaient raccompagner tous les deux par la police. Il ne voyait pas comment les choses auraient pu aller plus mal.

Sa fringale habituelle après l'heure bleue lui tomba dessus. Il fouilla dans les poches de son blouson mais ses pommes avaient disparu. Elles avaient dû tomber au cours de la poursuite. Il décida de s'offrir un pot entier de beurre de cacahuète une fois rentré chez lui.

Le haut grillage d'Aerospace Oklahoma défilait derrière la vitre de la voiture, sous la lueur des réverbères. Si seulement ils avaient sauté un peu plus loin ou étaient redescendus un peu plus vite, ils auraient atterri dans une autre rue. La voiture de police ne les aurait jamais repérés.

Il aperçut un panneau et sursauta.

— Hé, ce n'est pas le chemin de la maison?

Saint-Claire gloussa.

— Je suis bien content que tu l'aies remarqué, Martinez. Vois-tu, j'ai déjà eu une petite discussion avec ton père, et lui et moi sommes tombés d'accord.

Une vague de consternation monta en Jonathan. Il se mit à respirer avec peine.

— Il se trouve que dans notre État de l'Oklahoma, quand un parent ne se sent plus apte à s'occuper de son rejeton délinquant, il peut choisir de le confier aux bons soins de la police.

— Quoi? s'écria Jonathan. Mais mon père...

— Ne pourra pas venir te récupérer cette nuit. Je crois qu'il avait mieux à faire ailleurs.

— Pour combien de temps?

— Ne t'en fais pas. Il faut juste qu'un juge t'entende en audience. Ton père devra être présent pour ça, et je suis sûr qu'il te ramènera à la maison dès que tu auras vu le juge et que tu lui auras promis d'être sage.

— Vous rigolez ?

L'homme éclata d'un rire sonore.

— Je ne plaisante jamais, Martinez. Il est grand temps que tu apprennes ce qu'il en coûte de ne pas respecter le couvre-feu.

La claustrophobie menaçait de submerger Jonathan. La voiture lui parut soudain minuscule, surchauffée, la grille de séparation entre l'avant et l'arrière lui fit l'effet d'une cage. Son estomac se tordit, en proie à la nervosité et la faim.

— Vous voulez dire que je vais passer la nuit entière en prison ? demanda-t-il d'une voix calme.

— La nuit ? Oh, pas juste la nuit, Jonathan. Vois-tu, contrairement à ton brave shérif ici présent, les juges ne travaillent pas le week-end.

— *Quoi ?*

— Tu es tout à moi jusqu'à lundi matin.

16

PUNIE

Le plus étrange, c'est que le père de Jessica se montra bien davantage affecté que sa mère.

Mme Day était venue ouvrir en tenue décontractée – elle devait encore vaquer dans la cuisine. Elle avait parlé poliment aux agents et les avait remerciés d'avoir reconduit sa fille à la maison. Puis, sans élever la voix, elle avait demandé à Jessica de patienter pendant qu'elle allait réveiller son père.

Cette nouvelle l'avait bouleversé.

Il avait encore les yeux écarquillés, les cheveux ébouriffés à force d'avoir passé la main dedans avec frénésie. Mme Day lui avait répété de ne pas réveiller Beth, mais Jessica voyait mal comment sa petite sœur aurait pu continuer à dormir avec de tels hurlements. Ce qui semblait l'inquiéter le plus était le bleu qu'elle avait au visage, qui commençait tout juste à apparaître.

En certaines occasions, c'était plutôt chouette d'avoir une mère ingénieur. Mme Day avait remarqué que chaque bosse, chaque éraflure que portait Jessica s'accompagnait de traces d'herbe. Même son écorchure au coude était entourée d'un cercle verdâtre. Elle avait encore des brins d'herbe dans les cheveux. Elle ressemblait à une gamine de dix ans après une longue journée d'été.

— Alors comme ça, tu es tombée, hein, ma chérie?

Jessica fit oui de la tête. Elle préférait éviter de parler pour l'instant. Elle s'était déjà montrée si minable lors de l'intervention de la police, à pleurnicher à l'arrière de la voiture. Alors que Jonathan était resté si calme.

Elle avait tout gâché. En attirant les darklings comme un aimant, et en lâchant la main de Jonathan au plus mauvais moment, ce qui lui avait donné cette allure pitoyable devant les flics.

— On dirait que tu as roulé depuis le sommet d'une colline, Jessica.

— Ouais, parvint-elle à dire. On jouait.

— Vous *jouiez*! s'emporta son père.

Il recommençait chaque fois qu'elle ouvrait la bouche, comme s'il ne supportait plus le son de sa voix.

— Don.

Mme Day parlait parfois à son mari avec une extrême dureté. Elle n'aurait jamais employé ce ton vis-à-vis de ses filles. Celui-ci ne dit plus un mot mais resta là, à s'arracher les cheveux.

Jessica respira un grand coup, puis baissa les yeux sur ses genoux. Elle avait mal. La souffrance qu'elle éprouvait dans tout le corps se décomposait en mille et une douleurs individuelles. Telle bosse se rappelait à son bon souvenir, puis se faisait oublier pendant qu'une autre prenait le relais, comme des petits catcheurs travaillant en équipe pour épuiser un colosse. Dans l'immédiat, le bleu qu'elle avait à la joue palpitait au rythme de son pouls, lui donnant l'impression d'avoir le visage difforme, grotesque. Elle le toucha avec précaution.

Sa mère imbiba un chiffon d'arnica et le pressa sur la joue.

— Jessica, raconte-moi ce qui s'est passé. À quel moment es-tu sortie ?

La jeune fille avala sa salive. La dernière fois qu'elle avait vu ses parents, c'était après le dîner.

— Jonathan est passé vers dix heures. J'ai cru qu'on irait simplement marcher un peu.

— La police a dit qu'elle vous avait trouvés devant Aerospace aux environs de minuit. On ne fait pas plus de trois ou quatre kilomètres par heure quand on se promène.

Jessica soupira. À certains moments, avoir une mère ingénieur s'avérait beaucoup moins cool. Bixby n'était pas immense, mais sa mère travaillait à l'autre bout de la ville. Jessica ignorait combien de kilomètres cela représentait.

Elle haussa les épaules.

— Je ne sais pas, c'était juste avant que j'aille me coucher.

— C'était bien avant dix heures, Jessica. Aussitôt après le dîner, intervint son père. Je trouvais bizarre que tu ailles au lit si vite. Tu savais qu'il venait ?

— Non. Il m'a fait la surprise.

— Et tu es sortie le rejoindre, comme ça?

— Il est à mon cours de physique.

— La police a dit qu'il avait un an de plus que toi, observa Mme Day.

— Mon cours de niveau *supérieur*.

Sa mère eut le bec cloué. Mais son père revint à la charge.

— Pourquoi es-tu allée te coucher si tôt?

— J'étais fatiguée. J'avais beaucoup travaillé hier.

— Étais-tu vraiment au musée toute l'après-midi? Ou bien avec lui?

— J'étais au musée. Lui, il n'était même pas là.

M. Day hocha la tête.

— Une après-midi entière à faire tes devoirs la semaine de la rentrée? Peut-on *savoir* ce que tu as étudié?

Elle avala sa salive. Elle n'avait rien à leur montrer. Elle avait bien pris quelques notes mais Rex lui avait fait promettre de ne rien divulguer. Quand avait-elle commencé à mentir à ses parents? Quand le monde était devenu complètement fou, peut-être.

— J'ai entamé des recherches.

— Sur quoi?

— Sur les rapports possibles entre les techniques d'outillage de la période solutréenne dans le sud de l'Espagne et certaines pointes de flèches pré-Clovis découvertes à Cactus Hill, en Virginie, répondit-elle d'une traite.

Son père en resta bouche bée.

Jessica cligna des paupières, surprise elle-même par sa tirade. Apparemment, cette séance de rattrapage en ancien savoir des midnighters avait été efficace. Elle se souvint de Rex lui montrant la longue vitrine de pointes de flèches, avec le vide au milieu, au moment où l'évolution avait pris un tour spectaculaire.

— On remarque un bond technologique dans les pointes de flèches du Nouveau Monde, il y a environ douze mille ans, poursuivit-elle avec sang-froid. (Au moins, parler de tout cela ne lui donnait pas envie de pleurer. Elle avait plutôt l'impression de maîtriser la situation.) Une cannelure centrale améliorée et un tranchant plus acéré. Certains archéologues estiment que cette technique aurait pu venir d'Europe.

— C'est bon, ma chérie. On te croit, dit sa mère en lui tapotant la main. Tu es sûre que Jonathan ne t'a emmenée nulle part en voiture ?

— Mais oui ! On a juste marché beaucoup plus loin que je ne pensais. Je vous jure.

— Tu es au courant, ce n'est pas la première fois que ce garçon a des ennuis avec la police.

Jessica secoua la tête.

— Non, je l'ignorais.

— Eh bien, tu le sais maintenant. Et je ne veux plus que tu quittes cette maison sans nous avoir prévenus, d'accord ?

— D'accord.

— De toute façon, tu n'iras plus nulle part en dehors du lycée pendant un mois, ajouta le père de Jessica.

Mme Day parut contrariée par la punition, mais acquiesça.

— Je voudrais aller dormir maintenant, dit Jessica.

— Bien sûr, ma chérie.

Sa mère la raccompagna jusqu'à sa chambre et l'embrassa en lui souhaitant bonne nuit.

— Je suis heureuse que tu n'aies rien de grave. C'est dangereux dehors, Jessica.

— Je sais.

17
RÉVÉLATIONS

Les murs étaient d'une teinte violette qui virait au noir durant l'heure secrète. Sur l'un d'eux était accroché un tableau, dont Dess se servait pour griffonner ses calculs à la craie rouge lors des rares occasions où elle ne pouvait pas les effectuer de tête. Sur un autre il y avait un autoportrait de Dess en Lego gris, noirs et blancs, qu'elle avait assemblés comme les pixels d'un ordinateur. Elle avait songé à retoucher cette version depuis qu'elle s'était teint les cheveux et les avait coupés, mais l'idée de démonter tous ces Lego la déprimait. Par ailleurs, elle n'aurait eu aucun moyen de sauvegarder l'œuvre originale.

Au centre de la chambre trônait une boîte à musique avec une ballerine. Dess avait remplacé son tutu rose par un voile violet, teint ses cheveux blonds en noir et rajouté à sa tenue des bijoux en métal qu'elle avait confectionnés en tordant des trombones. La ballerine se dénommait Ada Lovelace. Dess avait éventré la boîte à musique de manière à pouvoir modifier les mouvements d'Ada en inversant les rouages. Elle avait également limé certaines dents sur le tambour afin de rendre la musique un peu moins suave et prévisible. Le morceau ainsi modifié n'avait ni commencement ni fin ; ce n'était plus qu'une succession de sons aléatoires propres à accompagner n'importe quelle chorégraphie.

Ce soir-là, la chambre empestait le métal chaud.

Dess avait travaillé la journée durant sur une nouvelle arme. Celle-ci avait démarré sa carrière comme pied de micro dans un magasin de musique. Dess y était entrée pour se procurer des cordes de guitare en acier afin de protéger ses portes et ses fenêtres. Mais en voyant le pied, elle avait décidé de sacrifier tout l'argent de ses petits boulots d'été. L'acheter flambant neuf était la garantie d'obtenir un métal propre, n'ayant jamais été en contact avec des mains non humaines, même si de nombreux gamins l'avaient probablement empoigné pour jouer à la rock star (Dess elle-même avait mimé une chanson devant son miroir avant de se mettre au travail).

Télescopique, le pied pouvait se régler en hauteur jusqu'à un mètre quatre-vingts, et une fois débarrassé de son embase en fonte il devenait très léger. Dess n'avait encore jamais rien baptisé d'aussi grand mais les proportions de l'objet étaient parfaites. Entièrement déployé, il ressemblait davantage à une arme que tout ce qu'elle avait pu fabriquer jusque-là.

Elle se demanda si les darklings étaient encore hantés par le souvenir des épieux, ces armes de l'âge de pierre. Mélissa prétendait qu'ils avaient une mémoire infaillible.

Dess avait consacré la journée à graver des motifs sur le manche de son arme, symboles mathématiques et autres groupes de points soigneusement espacés. Elle avait même recopié certaines silhouettes des peintures rupestres locales, censées célébrer une chasse victorieuse dix mille ans plus tôt. Elle avait tracé ainsi trente-neuf petits dessins, le nombre anti-darkling par excellence.

Son fer à souder refroidissait dans un coin. Un mince filet de fumée s'élevait de la pointe. Dess le regarda se pétrifier à minuit pile ; ses volutes s'interrompirent d'un coup. Sous la lumière bleutée la fumée se détachait sur le fond noir des murs, gracile et lumineuse, pareille à un fil d'araignée dans un rayon de soleil.

Dess tendit un doigt pour l'effleurer. Un fragment de fumée de la taille de son ongle se détacha et monta en direction du plafond.

— Hmm, dit-elle. Logique…

Comme tout ce qui se figeait à minuit, les particules de fumée avaient été libérées à son contact. Mais, plus légères que l'air, elles s'élevaient au lieu de descendre.

Elle empoigna son pied de micro. Dans la lumière bleue, il avait l'air d'une arme redoutable.

Si l'heure secrète ressemblait un tant soit peu à celle de la veille, elle en aurait besoin.

Il ne restait plus qu'une étape : Dess voulait donner à son épieu un nom de trente-neuf lettres qui ait une signification. Un mot unique ne conviendrait pas. Elle n'en avait trouvé que dans le domaine de la chimie, des mots très rares,

employés par les seuls scientifiques et qui ne semblaient
guère avoir d'effet dans le temps bleu. Même les grouilleurs
ne se laissaient pas impressionner par un mot tel que ben-
zohydroxypentalaminatriconihexadrene, peut-être parce
qu'on le retrouvait généralement parmi les ingrédients des
Twinkies[1]. Mais peut-être un groupe de trois mots de treize
lettres fonctionnerait-il. Dess resta assise plusieurs minutes
à contempler les minuscules dessins sur son pied de micro,
à passer différents mots en revue.

Les autres midnighters avaient recours à un dictionnaire, mais une polymathe n'en avait pas besoin. Pour elle,
les mots de treize lettres avaient leur propre saveur, leur
couleur, et se détachaient en MAJUSCULES dans sa tête.
Il ne lui fallut qu'un instant pour isoler le trio parfait de
décatrigrammes.

Elle approcha l'arme de ses lèvres et murmura :

— Scintillantes Illustrations Méningitiques.

Comme convenu, Dess retrouva Rex devant chez lui. Il
habitait plus près de Jessica, et si l'un d'eux se faisait surprendre seul, c'était elle la mieux armée pour se défendre.
Mélissa resterait à la maison cette nuit-là. Elle sonderait le
paysage psychique afin de comprendre ce qui se tramait
dans le désert.

---

1. Pâtisserie industrielle fourrée à la vanille, devenue une véritable
drogue pour certains aux États-Unis. (N.d.T.)

— Tout va bien ? lui demanda Rex quand Dess s'arrêta sur sa pelouse desséchée.

Il l'attendait dehors, au milieu de treize tas de petits cailloux disposés en cercle.

— Oui, c'est plus calme qu'hier soir. En ville, du moins.

Le site qu'ils avaient visité la nuit précédente en plein désert était très ancien. Les grouilleurs les avaient suivis depuis le début, aussi bien dans les airs que sur terre. Leur nombre semblait croître chaque fois que Dess levait la tête. Toutes sortes de darklings volants étaient également apparus ; leurs silhouettes hideuses et peu familières émergeaient à la lueur de la lune. Deux d'entre eux leur avaient même cherché des noises, en testant les défenses qu'elle avait installées autour du site. La situation aurait pu mal tourner mais environ un quart d'heure avant le coucher de la lune, tous s'étaient retirés soudain, comme s'ils s'étaient rappelé un rendez-vous important. Cela s'était révélé aussi troublant qu'étrange.

— Allons-y, dit-elle à Rex.

Dess n'aimait pas savoir Jessica seule. Ses agrafes ne suffiraient peut-être pas à la protéger cette nuit.

Sauf qu'elle n'est peut-être pas seule, songea Dess avec un sourire discret. *Ça*, ce serait une jolie surprise pour Rex.

Ce dernier fit un tour d'horizon avant d'enfourcher son vélo.

— J'espère que ça ne va pas trop s'animer. Je me demande d'où sortent tous ces darklings. J'étais loin de me douter qu'il y en avait autant.

Dess hocha la tête.

— J'y ai un peu réfléchi. Tu veux entendre ma théorie ?

— Bien sûr.

— Les darklings ressemblent à des panthères ou à des tigres, d'accord ? Sauf quand ils pètent les plombs comme la nuit dernière.

— Ouais. L'ancien savoir prétend qu'ils sont apparentés aux grands félins – les lions et les tigres – comme nous aux singes.

— Bon, poursuivit Dess. Eh bien, mon savoir personnel, oui, le mien, Discovery Channel, affirme que les félins passent le plus clair de leur temps à dormir. Prends les lions. Ils roupillent vingt-deux heures par jour, se roulent dans l'herbe en agitant vaguement la queue pour chasser les mouches, poussent un petit rugissement par-ci, par-là histoire de défendre leur territoire, mais ils sont à peine éveillés la plupart du temps.

— Vingt-deux heures de sommeil par jour ? C'est comme le chat de mon père.

— Ce qui leur laisse au mieux deux heures de veille, d'accord ? L'une de ces heures est consacrée aux travaux domestiques – faire leur toilette, se bagarrer avec les membres de la bande, histoire de rigoler un peu. Ils ne consacrent donc qu'une heure à chasser.

Rex siffla entre ses dents.

— La belle vie, quoi. Une semaine de travail de cinq heures.

— Sept, rectifia Dess. Ils ne connaissent pas le week-end.

— Waouh. Trop dur.

— Alors voilà ce que je me suis dit. Si les darklings sont des grands félins, ils ne doivent probablement chasser qu'une heure par jour.

— Logique, approuva Rex.

— Mais une journée, ça représente quoi pour un darkling ?

Rex réfléchit à la question tout en pédalant.

— Eh bien, les darklings ne vivent qu'une heure sur vingt-cinq, pendant l'heure secrète. Le reste du temps ils sont figés, comme les gens ordinaires dans le temps bleu. Donc, il leur faut vingt-cinq de nos jours pour vivre une journée entière. Ce qui explique en partie pourquoi ils vivent si longtemps.

— Exact, dit Dess. Donc, un darkling doit sans doute dormir vingt-trois jours d'affilée.

Le vélo de Rex fit un écart. Dess vit qu'il n'avait encore jamais réfléchi à cela. Elle secoua la tête. La vie des gens serait tellement plus simple s'ils voulaient bien se donner la peine de faire des calculs de temps à autre.

— Ce qui veut dire, acheva-t-il lentement, qu'ils ne chassent environ qu'une fois par mois. Comme les loups-garous.

— Voilà. C'est sans doute de là que vient cette histoire de pleine lune. Sauf que les darklings chassent environ une fois toutes les 3,571429 semaines, et non toutes les quatre.

Mais qui se donne la peine de calculer? Donc, ça veut dire que les darklings sont beaucoup plus nombreux qu'on ne le pense parce que la plupart du temps, ils sont presque tous en train de dormir. Nous ne voyons que la partie émergée de l'iceberg. Pour un qui chasse, il y en vingt-trois qui roupillent.

Dess donna le temps à Rex de digérer l'information.

— Alors, finit-il par dire, la question n'est pas: « D'où est-ce qu'ils pouvaient bien sortir? »

— Exact, confirma-t-elle. La question est: « Qu'est-ce qui a pu les réveiller tous en même temps? »

Quand Jessica vint répondre au petit coup frappé au carreau, elle parut déçue de les voir.

— Tu attendais de la visite? s'enquit Dess.

— Plus ou moins, maugréa-t-elle.

Rex ne s'aperçut de rien, ou crut qu'elle et Dess plaisantaient. Cette dernière se demanda ce qui s'était passé exactement la nuit dernière.

Elle avait appelé chez Jonathan dans la journée. Avait-il mis à exécution sa menace de rendre visite à Jessica durant le temps bleu? Le téléphone avait sonné dans le vide. Dess ne se faisait pas de souci – Jonathan savait retomber sur ses pattes mieux que personne – mais elle tenait à savoir.

— Nous avons de grandes nouvelles pour toi, annonça-t-elle.

— Entrez, leur dit Jessica en soulevant la fenêtre.

Dess sauta à l'intérieur puis se retourna pour aider Rex. Ils auraient pu passer par la porte d'entrée, bien sûr, mais le temps bleu incitait les midnighters à chuchoter, à comploter, à se faufiler en douce.

Jessica s'assit lourdement sur son lit. Elle paraissait lasse. Cela n'avait pas dû être le rencard du siècle. Les darklings s'étaient peut-être invités à la fête.

Dess remarqua pourtant que Jessica se massait la main droite, comme si elle était endolorie. Elle savait par expérience ce que cela voulait dire : tout ne s'était pas si mal passé.

Dess mit ses questions de côté. Elle pourrait toujours interroger Jessica le lendemain, en étude, sans Rex dans les parages pour piquer sa crise.

— Nous nous sommes rendus sur un ancien site la nuit dernière, commença Rex.

— Une expédition plutôt animée, ajouta Dess. C'est Darkling-Ville, là-bas.

— Mais nous avons peut-être trouvé le fin mot de l'histoire.

Jessica leva les yeux.

— C'est de ma faute, hein ?

Rex parut d'abord surpris, puis haussa les épaules.

— Pas directement, non.

— Mais tout se produit à cause de moi. Ces bestioles vous fichaient la paix jusqu'à présent. Depuis mon arrivée, elles sont partout. Pas vrai ?

— Vrai, admit Rex. La recrudescence d'activité des darklings est peut-être liée à ta présence à Bixby. Mais ce n'est pas une certitude.

— Oh si, rétorqua Jessica. Vous aviez un monde à part, une heure secrète rien qu'à vous, et j'ai tout gâché.

— Tu n'as rien gâché du tout. Les darklings étaient déjà là, et nous avons déjà eu affaire à eux par le passé, dit Rex. Mais il est possible que tu leur fasses peur.

— Que je leur fasse peur ?

Dess s'assit à côté de Jessica.

— Chaque midnighter possède un talent particulier, Jessica.

— J'avais remarqué. Chaque midnighter, sauf moi.

Rex se mit à faire les cent pas dans la chambre.

— L'ancien savoir affirme que les darklings peuvent sentir l'arrivée de nouveaux midnighters sur leur territoire, exactement comme Mélissa. Ils sont sensibles à nos talents, et ils savent qui représente ou non un danger pour eux.

— Moi, un danger pour *eux* ? (Jessica s'esclaffa.) Tu veux rire ! Jusqu'à présent, mon principal talent consiste à attirer les ennuis. Je porte la poisse.

— Parce que tu leur fais peur, insista Dess. Ce sont toujours des animaux, en un sens – des chats sauvages.

— Et ton arrivée a flanqué un grand coup de pied dans la fourmilière.

Dess leva les yeux au ciel.

— Les félins n'ont pas de fourmilière, Rex.

— Bon, disons dans la… félinière. En tout cas, Jessica, ton talent est à coup sûr capital. Pour nous.

Elle leva la tête vers lui.

— Tu crois ?

— Ils te veulent, c'est donc que nous avons besoin de toi, affirma Dess.

— Sauf qu'ils me veulent… morte !

— C'est bien pourquoi nous devons découvrir ce que tu es, conclut Rex. Es-tu prête à nous aider ?

Jessica les dévisagea tous les deux, puis jeta un coup d'œil maussade sur le temps bleu derrière la vitre. Dess nota les rangées d'agrafes soigneusement fixées sur le montant de la fenêtre et se demanda ce qu'on pouvait ressentir à être confiné dans sa chambre pendant l'heure secrète, alors que le monde entier vous attendait.

La chambre de Jessica était d'une propreté hallucinante, comme si elle avait passé la journée à ranger. Ainsi que Dess l'avait deviné, ses parents n'étaient pas pauvres. Jessica possédait sa propre chaîne hi-fi ainsi qu'une tonne de CD. Mais la pièce ne donnait pas l'impression d'être habitée. Il s'en dégageait une grande solitude.

Jessica soupira avant de répondre.

— Bien sûr. Que dois-je faire ?

Rex sourit.

— Nous allons devoir t'emmener sur un site ancien pendant l'heure secrète. Il existe des moyens de découvrir ton talent là-bas, des tests qui permettront d'établir ce que tu es.

— D'accord, mais vous n'avez pas peur que les darklings s'en mêlent ?

— Ils essaieront, reconnut Dess. Mais je peux installer des défenses, tout préparer pendant la journée. Quand viendra minuit, l'endroit sera sûr. Plus que cette pièce, en tout cas.

Jessica regarda autour d'elle, fâchée – c'était clair – d'apprendre que sa chambre n'était pas complètement protégée.

— Donc le seul problème, c'est de me rendre sur place, dit-elle.

— Nous y avons déjà réfléchi, dit Rex. Tu n'auras qu'à dire à tes parents que tu passes la nuit chez Dess. Elle habite près du désert. Vous vous rendrez discrètement sur place avant…

— Laissez tomber.

— Pourquoi ? s'étonna Rex.

— Je ne peux passer la nuit chez personne, pas avant un mois en tout cas. Je suis punie. Consignée à la maison.

— Oh. (À voir l'expression de Rex, il ne s'attendait pas à ce que ses plans soient contrariés par une nouvelle aussi banale.) Eh bien, dans ce cas, il faudra te glisser hors de ta chambre et Mélissa viendra te chercher en voiture…

— Non, l'interrompit Jessica. J'ai assez menti comme ça à mes parents. Je ne veux plus me sauver comme une voleuse. Laissez tomber.

Rex ouvrit la bouche, puis la referma.

Dess mourait d'envie de questionner Jessica hors de la présence de Rex. Qu'était-il arrivé la nuit dernière ? Elle se demanda si cette punition avait un rapport avec Jonathan.

— Je veux dire, continua Jessica, d'accord pour sortir pendant l'heure secrète mais plus question de fausser compagnie à mes parents en dehors. S'ils le découvraient, ils en seraient malades. Je ne veux plus leur infliger ça.

— Tu préfères attendre un mois entier ? s'enquit Rex. S'ils sont aussi effrayés qu'ils en ont l'air, les darklings risquent de tenter quelque chose très bientôt.

— Ça se trouve loin, votre endroit ? demanda Jessica.

— Ben, oui, assez, répondit Rex. Même en partant de chez Dess, vous auriez à peine le temps de faire l'aller-retour à vélo.

— Et en volant ?

Rex en resta d'abord bouche bée, puis fusilla Dess du regard. Elle soupira, écarta les mains avec un petit haussement d'épaules. Inutile de nier. Rex savait que Mélissa n'aurait jamais donné l'adresse de Jessica à Jonathan. D'ailleurs, si Dess n'avait pas vendu la mèche, comment Jonathan aurait-il su qu'une nouvelle midnighter avait débarqué en ville ?

Dess tâcha de prendre un air embarrassé. Mais au fond d'elle-même elle n'était pas mécontente. De temps en temps, Rex avait besoin qu'on le remette à sa place. Après tout, il n'était pas le chef.

Il se maîtrisa avant de se retourner vers Jessica.

— Trop dangereux. Vous deux, seuls, au milieu du désert – vous risqueriez de voler droit dans un piège.

— Oui, admit Jessica, ça a bien failli mal tourner la nuit dernière. Et pourtant nous sommes à peine sortis de la ville.

— Vous êtes sortis de… ? s'étouffa Rex, qui se contint à grand-peine. On trouvera une solution, reprit-il. Un moyen de t'amener là-bas avant minuit.

— Quel est ce site, exactement ? voulut savoir Jessica.

Dess observa Rex et crut distinguer chez lui un malin plaisir à répondre, maintenant qu'il avait donné à Jessica Day une raison supplémentaire d'avoir peur de minuit.

— On l'appelle la fosse aux serpents.

18

UNE FILLE REBELLE

Lundi matin, il ne lui fallut pas longtemps pour découvrir où Jonathan avait passé le reste du week-end. Jessica ne voulut pas le croire au début – cela ressemblait trop à une rumeur pour être vrai – mais sa table vide et les regards qu'on lui lança en cours de physique le lui confirmèrent.

C'était bien vrai. Il était en prison, et par sa faute.

De nombreuses versions circulaient mais tout le monde savait que Jonathan s'était fait arrêter en compagnie de Jessica Day. Elle était passée du statut de nouvelle venue à celui de délinquante en un temps record. La plupart des lycéens semblaient surpris de la voir en classe, comme s'ils s'attendaient à ce qu'elle aussi soit en train de croupir dans une cellule. Elle semait le désordre partout où elle allait, et, par là même, attisait la curiosité de chacun (à l'exception de quelques professeurs indifférents aux ragots).

Heureusement, Constanza vint à sa rescousse : elle prit Jessica sous son aile à l'intercours et la mit au courant.

— Je t'explique : la tante ou la mère d'une fille travaille comme standardiste ou comme adjointe au bureau du shérif. Elle se trouvait là samedi soir quand ils ont ramené Jonathan. Les nouvelles circulent vite à Bixby. Qu'est-ce que vous fabriquiez?

— On se promenait, c'est tout.

Constanza hocha la tête.

— Violation du couvre-feu. C'est ce que je pensais. Mais certains s'imaginent que vous vous êtes fait embarquer pour avoir cambriolé une voiture, ou un magasin, ou les deux.

— Pas du tout. Mais pourquoi m'a-t-on ramenée chez moi, et lui, en prison?

— Eh bien, chacun sait – depuis ce matin du moins – que Jonathan a déjà eu des problèmes avec la police. Des tas de problèmes. Son père aussi. En fait, j'ai entendu dire que lui, ou son père, je ne sais pas, était recherché pour attaque à main armée à Philadelphie, ou peut-être pour meurtre; c'est pour ça qu'ils seraient venus s'installer ici.

— Tu es absolument certaine de ça?

— Absolument pas. Je te dis ça pour que tu saches ce qu'on raconte, Jessica.

— Ouais, bien sûr. Désolée.

Quelques filles de seconde traînaient dans le couloir, et Constanza les fit déguerpir tandis que Jessica récupérait ses livres pour aller en étude. Elle hésita devant son casier, indifférente aux regards. Avait-elle davantage de retard en trigo ou en physique?

Elle revoyait la chaise vide de Jonathan... Il n'était pas rentré chez lui. Comment en étaient-ils arrivés là?

Les événements n'auraient pas pu plus mal tourner. À ceci près qu'elle ne s'était pas fait dévorer.

Jessica Day : aimant pour darklings, aimant pour flics, fille à problèmes.

Elle attrapa son manuel de trigo et claqua la porte de son casier.

— Il paraît que vous étiez en train de vous embrasser quand la police a rappliqué, dit Constanza.

— Non, c'est faux.

— Quoi, vous ne faisiez que vous tenir la main ?

— Non. (Jessica hésita.) Enfin, si.

Elle se massa le poignet, encore douloureux. Voler faisait travailler des muscles rarement sollicités.

— Donc Jonathan et toi sortez ensemble ?

Jessica rougit.

— Non. Je ne sais pas. Peut-être… (Elle avait beau le connaître à peine, jamais elle ne s'était sentie aussi proche d'un garçon que ce soir-là. Bien sûr, après la manière dont la nuit s'était terminée…) Enfin plus maintenant, après ce qui s'est passé, conclut-elle.

Constanza la prit par les épaules en l'entraînant vers la bibliothèque.

— Moi-même, je trouve que ce couvre-feu est une loi ridicule. Je pense écrire un article là-dessus dans le journal du lycée, ou même dans le *Register*. « Deux amoureux embarqués par la police pour s'être tenus par la main. »

— Laisse-moi en dehors de ça, d'accord ?

— Je ne te citerai pas, naturellement.

Jessica ne put s'empêcher de rire.

— Super-idée, Constanza. Personne ne fera le lien. Tu n'auras qu'à m'appeler Jess, la rebelle.

Constanza sourit.

— Pas mal.

Elles entrèrent dans la bibliothèque juste après la sonnerie. Mme Thomas leva la tête de son ordinateur.

— Bonjour, leur dit-elle, un sourcil arqué.

À l'évidence, elle s'attendait que les ragots viennent animer l'étude du jour.

— Bonjour, lui lança Jessica, qui gémit tout bas en découvrant la grande table.

La petite bande de Constanza était déjà installée, avide d'entendre le fin mot de l'histoire.

Elle se tourna vers Constanza et lui dit :

— Il faut vraiment que je révise ma trigo. Je n'ai eu le temps de rien faire ce week-end.

Constanza sourit.

— Oh, dis-moi, Jess, la rebelle. J'ai l'impression que tu t'es quand même bien amusée. Mais ne t'en fais pas. Occupe-toi de tes révisions, je me charge des autres.

— Merci, Constanza. J'apprécie. Mais, heu, quelle version vas-tu leur servir ?

— Eh bien, que dirais-tu d'une version intermédiaire ? Avec balade main dans la main, mais sans l'option bisous ? Et sans les antécédents criminels ?

— Hmm, ça pourrait être pire. Tâche de ne pas trop me charger, d'accord ? Je risque de devoir rester à Bixby pour un moment.

— Pas de souci, Jess. On se crée plus d'amies avec une réputation sulfureuse qu'en passant inaperçue. Ce qui ne veut pas dire que tu passais… inaperçue.

— Merci.

— D'ailleurs, tu ne fais rien vendredi ?

— Je suis punie.

— Dommage. J'ai des amis qui donnent une petite fête au Creux des Bruissements.

— Où ça ? demanda Jessica.

— C'est un ancien lac asséché. L'endroit idéal pour une soirée clandestine. Dans le comté de Broken Arrow, donc hors de la zone du couvre-feu. Je ne suis pas sûre que Jessica Day aurait voulu venir, mais Jess la rebelle s'y serait bien amusée.

— Désolée. Toutes les deux sont punies jusqu'en octobre.

— Tant pis. De toute façon, je te retrouve au déjeuner. (Constanza la serra dans ses bras.) Et ne t'inquiète pas, cette histoire aura cessé de faire les gros titres d'ici une semaine, maximum.

Elle se dirigea vers la grande table et Jessica s'enfonça dans un fauteuil, reconnaissante à Constanza de bien vouloir alimenter pour elle le moulin à rumeurs. Cela lui faisait au moins une personne dans son camp.

Jessica découvrit Dess à sa place habituelle.

— Ah, cool. J'espérais que tu serais là.

— Je ne voudrais pas rater ma séance favorite, dit Dess.

— Celle où tu me donnes des cours de rattrapage en trigo? demanda Jessica, pleine d'espoir.

Dess sourit.

— Aujourd'hui, mes cours de rattrapage seront payants.

Jessica geignit.

— Tu ne vas pas t'y mettre, toi aussi.

— Relax, je ne vais pas te demander dans quelles circonstances tu t'es fait ramasser par la police. Ton casier judiciaire ne m'intéresse pas. Je veux juste savoir si vous avez volé.

Jessica jeta un coup d'œil en direction de la grande table. Constanza mobilisait déjà l'attention de son auditoire.

Elle se retourna vers Dess et acquiesça.

— C'est super, hein? dit Dess.

Une pointe d'irritation traversa Jessica. Presque de la jalousie. Bien sûr que Jonathan avait déjà volé en compagnie d'un autre midnighter. Comment aurait-il su que ça marchait, sinon? Elle avait pourtant eu le sentiment que leur vol n'appartenait qu'à eux.

— Ouais. Génial.

— J'étais certaine que ça te plairait. C'est pour ça que j'ai donné ton adresse à Jonathan.

Jessica hocha la tête et sourit à Dess.

— Merci.

— Il fallait bien que quelqu'un le fasse.

— J'ai l'impression que tu ne veux pas prendre parti entre Rex et Jonathan, je me trompe?

Dess soupira.

— C'est vraiment ridicule. Rex est un excellent copain. Je ne saurais pas la moitié de ce que je sais sans lui. Mais il a parfois tendance à jouer au voyant-qui-sait-tout-mieux-que-tout-le-monde. Et Jonathan est extra, mais il se fiche un peu trop de tout, même si on ne peut pas lui en vouloir. Ça n'a jamais collé entre eux, et ça depuis le début, il y a deux ans.

— Alors vous n'avez jamais travaillé ensemble tous les quatre?

— Si, pendant deux semaines. À son arrivée, Jonathan commençait juste à découvrir son pouvoir quand Rex et Mélissa se sont amenés. Pour lui, c'était un rêve devenu réalité. Mais Rex, c'est clair, aurait voulu consacrer chaque nuit à recueillir des informations.

Jessica hocha la tête. Il aurait été beaucoup plus facile pour Rex de se rendre sur ses fameux sites anciens avec Jonathan.

— Mélissa et Jonathan ne se sont jamais entendus, par contre, ajouta Dess. Elle n'a même jamais volé avec lui.

— Ah bon?

— Impossible de lui tenir la main. Elle ne supporte pas le moindre contact.

Jessica cligna des paupières. Elle, qui jalousait Dess quelques instants plus tôt, ne pouvait s'empêcher d'être triste pour Mélissa. Voler en compagnie de Jonathan constituait la meilleure part de minuit.

— Donc Mélissa s'est retrouvée à l'écart de toutes ces expéditions au désert, Jonathan s'est lassé de jouer les chauffeurs volants, et la situation a dégénéré.

Jessica hésita avant de dire :

— J'imagine d'ici les conflits de personnalités…

— Et depuis, c'est le bazar. (Dess baissa les yeux par terre.) Enfin, peut-être que ç'a toujours été comme ça.

— Mais toi, Dess, pourquoi ne pas m'avoir parlé de Jonathan puisque tu savais que Rex s'en garderait bien ?

— J'évite de le mentionner devant Rex. Le seul fait d'entendre son nom lui hérisse le poil.

— Tu aurais pu m'appeler.

Dess haussa les épaules, puis sourit.

— Disons que je voulais ménager l'effet de surprise.

Jessica plongea les yeux dans son regard derrière ses verres fumés et se rendit compte que Dess disait la vérité. Aussi bizarre qu'elle puisse paraître, la polymathe s'était toujours montrée honnête avec elle. Elle avait tenté dès le premier jour de la prévenir. Bien sûr, elle ne lui avait pas tout expliqué en détail, mais ce n'était pas au sens strict sa faute. La situation avait toujours été très compliquée.

Jessica sourit. Même si son samedi soir s'était affreusement mal terminé, elle était heureuse que Dess ait parlé d'elle à Jonathan.

— C'est vrai que c'était plutôt surprenant. Et génial. (Jessica soupira.) Jusqu'à ce que les darklings rappliquent en masse, bien sûr. Et que la police intervienne à la fin. Jonathan doit me prendre pour une catastrophe ambulante.

— Ne te fais pas trop de souci pour lui, Jess. Nous nous sommes tous déjà retrouvés dans la voiture de Clancy Saint-Claire. C'est l'une des attractions de la région.

— Oh, je me sens beaucoup mieux, merci. Mes parents étaient déjà dans tous leurs états… Si je me fais encore une fois raccompagner à la maison par la police, je suis grillée. Calcinée, carbonisée.

— À nous d'agir en sorte que ça n'arrive pas, dit Dess.

— J'ai peur de poser la question, mais est-ce que vous avez trouvé une solution ? Pour m'amener à la fosse aux serpents ?

— Tu es impatiente, hein ? dit Dess en souriant. On y travaille encore. Dommage que tu ne puisses pas aller à cette fête au Creux des Bruissements.

Jessica fronça les sourcils. Elle avait beau apprécier Constanza, sa fête ne lui disait pas grand-chose.

— Pourquoi ?

— La fosse aux serpents se trouve tout au fond du Creux. Tu serais à moins de cinq minutes à pied. Et mon petit doigt me dit que cette fête risque de se prolonger bien après minuit. Tu es sûre de ne pas pouvoir convaincre tes parents de lever la punition pour un soir ?

— Certaine.

— Tant pis. (Dess se renfonça dans son fauteuil.) Et maintenant, passons à un sujet plus agréable.

— Quoi, la dévitalisation des dents ?

— Non, la trigo.

Après les cours, Jessica attendit son père devant le lycée. Il avait décidé de passer la prendre tous les jours jusqu'à nouvel ordre, sa théorie étant qu'elle risquait de se perdre ou de se voir arrêter sur le chemin du retour. En tant que père désœuvré, il n'avait rien de mieux à faire que s'inquiéter plus que de raison. Naturellement, il arriverait en retard après un passage au collège. Il n'était pas question que Beth prenne le bus alors que sa délinquante de sœur bénéficiait d'un chauffeur.

Un flot d'élèves se déversait par la grille. Tous lui adressaient un dernier regard au passage. Jessica était ravie de leur offrir la possibilité de dévisager la nouvelle rebelle du lycée.

Elle fusilla du regard deux garçons de seconde, qui rentrèrent la tête dans les épaules et coururent attraper leur bus. Après une journée d'humiliation publique, Jessica Day en avait plus qu'assez.

Elle n'avait pas demandé à être une midnighter, elle n'avait rien fait pour s'attirer des ennuis. Peut-être aurait-elle dû prendre le temps d'expliquer aux darklings les contraintes du couvre-feu ? Pour la millième fois de la journée, elle se repassa la scène où l'on ramenait à ses parents son corps mis en pièces par les darklings, avec un petit mot griffonné de sa main :

> *Maman, papa,*
> *Je n'ai pas voulu m'enfuir à cause du couvre-feu.*
> *Je suis morte, mais pas punie.*
>
> *Jess*

Elle réfléchissait à un autre texte, beaucoup plus ironique, quand une voix s'éleva dans son dos.

— Jess?

Elle pivota sur ses talons. C'était Jonathan.

— Tu... es sorti?

Elle sentit un grand sourire se dessiner sur son visage. Il éclata de rire.

— Ouais. Libéré pour bonne conduite.

— Je suis désolée. Je veux dire, je suis contente de te voir.

Elle fit un pas en avant.

— Moi aussi.

Le brouhaha du lycée parut s'estomper autour d'eux, comme si le temps bleu avait surgi en pleine journée. Pour une fois, Jessica savait qu'elle ne rêvait pas.

Elle dévisagea Jonathan en s'efforçant de deviner ses pensées. Il paraissait las mais détendu, soulagé de la voir. Il avait les cheveux légèrement humides, comme s'il venait de prendre une douche. Jessica réalisa qu'il était venu au lycée juste pour la voir, et son sourire s'agrandit.

— Que s'est-il passé?

— Le shérif de Bixby, Saint-Claire, voulait me donner une petite leçon, c'est tout, expliqua Jonathan. Rien de grave. Il s'était entendu avec mon père pour me garder tout le dimanche. Celui-ci est venu me récupérer ce matin. Mais c'était de la frime. On ne m'a même pas arrêté, pas officiellement. On m'a juste bouclé en cellule.

Jessica frissonna. Elle avait passé la journée à l'imaginer en prison. Aucune des images qui lui étaient venues à l'esprit ne l'avait rassurée.

— Comment c'était ?

Jonathan frémit.

— Étroit. Et plutôt maigre, côté nourriture. J'ai passé l'heure secrète à rebondir au plafond. Pour le reste, je retiendrai surtout... l'odeur. J'ai pris des douches toute la journée pendant que mon père n'arrêtait pas de s'excuser.

— Mais sinon, ça va ?

— Bien sûr. Et toi ?

Jessica ouvrit la bouche pour lui parler du plan de Rex, le questionner encore sur la prison, la gravité de minuit, la manière dont ils avaient repoussé les darklings. Puis elle vit la voiture de son père se faufiler entre les cars et les gamins qui criaient, et préféra abréger.

— Je voudrais bien retourner voler.

Elle lui adressa un grand sourire. Qu'il lui rendit.

— Super. Ce soir, ça te dit ?

19 23h49
LA TÉLÉPATHE

— Quel côté, la ville?

Mélissa ôta une main du volant et indiqua la droite, vers la grande masse d'humanité endormie. Elle percevait le goût douceâtre du centre-ville traversé de rythmes oniriques lents et insipides, rehaussé de quelques cauchemars âcres, semblables à des grains de sel non dissous. L'un des avantages de Bixby était que les gens s'y couchaient de bonne heure. Un mercredi soir, le brouhaha mental commençait à s'estomper dès vingt-deux heures, et à partir de vingt-trois heures trente, les dernières pensées fugitives ne représentaient plus qu'un léger bruit de fond, un bourdonnement de moustique, quasiment inaudible.

Rex grogna en déployant la carte, sa petite lampe de poche entre les dents. C'était lui qui avait insisté pour prendre la voiture.

— Je connais le chemin, protesta Mélissa. Il suffit de rejoindre Division. Il ne nous reste plus que dix minutes.

— S'agirait pas de se faire prendre, marmonna-t-il.

Mélissa soupira.

À seize ans en Oklahoma, elle n'avait droit qu'à un permis restreint qui l'autorisait à conduire de chez elle au lycée (ou à un petit boulot, au cas bien improbable où elle en trouverait un qui ne la rende pas cinglée). Par ailleurs il était plus de vingt-trois heures, de sorte que Rex multipliait les précautions et insistait pour prendre les chemins de traverse. Il ne tenait pas à croiser une voiture de police juste avant le couvre-feu.

Le petit séjour en cellule de Jonathan avait impressionné Rex. En un sens, Clancy Saint-Claire lui faisait plus peur que tout ce qui pouvait rôder dans l'heure secrète. L'ancien savoir n'était d'aucune aide face à un gros shérif borné.

La disparition de Jonathan durant le week-end avait aussi inquiété Mélissa, mais pour des raisons différentes. Elle avait passé l'heure secrète de dimanche sur son toit, à surveiller l'activité mentale croissante des darklings, mais aussi à se demander pourquoi Jonathan ne se montrait pas. D'ordinaire, elle pouvait toujours le sentir filer à travers le paysage. Plus rapide que tout le reste sur le terrain psychique de minuit, plus rapide même qu'un darkling volant. Il n'était pas difficile à repérer.

Son absence l'avait alarmée plus qu'elle ne l'aurait cru. Quand elle avait appris le lundi matin qu'il avait simplement passé le week-end en cellule, derrière une grille d'acier impénétrable, elle avait été soulagée. Rex avait peut-être la phobie des shérifs mais il y avait plus grave que se faire arrêter.

Elle eut un sourire malicieux. Passer une nuit au sol pouvait même lui avoir mis du plomb dans la cervelle. Il avait paru moins arrogant cette semaine.

— Prends à droite.

Mélissa s'exécuta.

Elle commençait à reconnaître le quartier.

— D'accord, on n'est plus très loin. Je vais me garer.

Rex leva les yeux vers elle, et hocha la tête.

— Hé! Aveugle-moi, tant que tu y es!

Il ôta sa lampe torche de sa bouche.

— Désolé.

Il entreprit de replier sa carte.

Maintenant qu'ils étaient pratiquement arrivés, Mélissa se réjouit d'avoir pris la voiture. Ils auraient pu venir à vélo à la faveur du temps bleu, mais cela les aurait exposés aux attaques des darklings. Sans Dess et son arsenal de pointe, cela n'aurait pas été prudent; or cette nuit-là, Rex et elle n'avaient pas voulu la mettre dans la confidence.

Ils n'avaient jamais révélé à Dess toutes les applications de la télépathie. Elle n'aurait pas pu comprendre les erreurs qu'ils avaient commises étant petits. Elle avait l'impression d'être tenue à l'écart, mais ne connaissait pas sa chance. Lorsque Rex et Mélissa étaient seuls, ils avaient dû apprendre les règles de minuit à la dure. Ces années n'avaient pas été un long fleuve tranquille.

Mélissa frémit et ramena son attention sur l'instant présent.

Elle gara sa vieille Ford à un pâté de maisons de distance et consulta sa montre. Il leur restait trois minutes.

Rex remarqua ses gants noirs.

— Tu fais très commando.

Elle eut un petit sourire.

— Rappelle-moi le nom de cette fille, déjà?

— Constanza Grayfoot. Tu n'as jamais entendu parler d'elle?

Mélissa soupira, et secoua la tête. Même Rex ne saisissait pas à quel point le lycée lui était insupportable. La télépathe ne connaissait pas les noms de la moitié de ses professeurs, encore moins ceux des élèves les plus populaires.

— D'ailleurs, on se fiche du nom exact, dit-il. Tant que tu parviens à faire passer l'idée. Ouvre la voie, le reste viendra tout seul.

— D'accord.

Mélissa consulta de nouveau sa montre, se calma, ferma les yeux. Elle perçut le bourdonnement d'un esprit en éveil à proximité, une personne absorbée par la télé. Mais le soulagement interviendrait dans moins de soixante secondes.

— Assure-toi de les caler tous les deux sur la même longueur d'onde. Pas question de rater le rendez-vous à cause d'un désaccord entre ses parents.

— Ça ira, Rex. Contente-toi de m'indiquer les rigides. (Elle le sentit tressaillir. Rex détestait l'entendre employer ce mot.) Désolée, railla-t-elle. Montre-moi les personnes midnighto-déficientes, et je me charge de la suite.

Rex tourna la tête et regarda par la vitre, en dégageant des vibrations maussades.

Elle soupira et tendit le bras pour lui tapoter la main. Il sursauta, surpris, puis se souvint qu'elle portait des gants. Il sourit mais, un bref instant, elle perçut comme une amertume. Il partageait ses moindres pensées avec elle, de terribles secrets ainsi qu'un monde caché, mais ils ne pourraient jamais se toucher.

— Rex, je t'assure que c'est tout simple. Il n'y aura aucun souci.

— Tu dis toujours ça.

— Le temps bleu, c'est de la rigolade, Rex. C'est avec la réalité que j'ai du mal.

Il se tourna vers elle, leva la main, se retint au dernier moment de l'effleurer.

— Je sais.

— J'ai fait le plus dur il y a huit ans.

Il s'esclaffa.

— Tu me le répètes sans arrêt.

«Le plus dur» avait consisté à dénicher Rex. D'aussi loin qu'elle se le rappelle, Mélissa avait toujours senti sa présence, avant même de savoir marcher. Quand venait le temps bleu et que le vacarme assourdissant cessait enfin, une seule voix subsistait; une seule existence solitaire au sein de ce monde figé, aussi ténue qu'un ami imaginaire. L'idée qu'il puisse s'agir d'une personne réelle avait mis des années à se former, puis un an encore pour la pousser à l'action. Enfin, elle avait parcouru à pied les quelques kilomètres qui la séparaient de chez lui pendant l'heure secrète ; âgée de huit ans, vêtue d'un pyjama orné de cow-girls et à moitié persuadée qu'elle rêvait. Mais se trouver l'un l'autre avait rendu les choses bien réelles.

Il était grand temps, réalisait-elle aujourd'hui. À rester seule, elle aurait fini par devenir cinglée.

Mélissa s'efforça de faire le vide dans sa tête, de se préparer à minuit, à la tâche qui l'attendait. Respirant profondément, elle guetta l'instant où les bruits parasites, les cauchemars et les rêves troublés, les angoisses semi-conscientes et les terreurs nocturnes se verraient enfin réduits au...

Silence.

— Oh, oui ! s'exclama-t-elle. C'est bon.

Elle perçut le sourire de Rex.

Son esprit lui était désormais grand ouvert. Elle sentit son soulagement d'être en sécurité dans le temps bleu, hors d'atteinte de la police, et sa résolution farouche de mener à bien cette mission. Elle discernait même la petite pointe de culpabilité qu'il éprouvait à agir de la sorte.

— Ne t'en fais pas, Rex. Ce qu'ils ignorent ne peut pas leur faire de mal.

— Préviens-moi tout de même si tu sens que tu y vas un peu trop fort.

— Tu seras le premier informé.

Ils descendirent de voiture, tandis que Mélissa procé-dait à un bref balayage mental. Rien dans les parages, mais il était tôt encore. Aucune créature du temps bleu n'aurait voulu passer la journée si loin dans la ville.

Rex fouilla les environs à la recherche de signes.

— Tu verrais ça, Mélissa. Ils ont laissé des traces partout. De plus en plus chaque nuit.

— Heureusement que Jessica ne passe pas trop de temps chez elle.

L'agacement de Rex grésilla dans l'air, effet prévisible de cette référence indirecte à Jonathan Martinez. Au moins n'était-ce pas de la jalousie, et elle en absorbait beaucoup au lycée ; rien qu'une manifestation de son orgueil de voyant, vexé de ne pas tout contrôler pendant l'heure secrète.

Une seconde plus tard, Mélissa le sentit refouler cette émotion.

— Ouais, ce bouffon est enfin bon à quelque chose, marmonna-t-il.

Ils franchirent une arrière-cour en catimini puis s'embusquèrent derrière un buisson de l'autre côté de la rue.

— Il vient ou quoi ?

Mélissa se projeta plus profondément dans la nuit, et les sensations affluèrent vers elle depuis les quatre coins de minuit. Jessica se trouvait là, dans sa chambre, à attendre avec impatience. Dess était toujours chez elle, à s'amuser avec ses gadgets. Les grouilleurs s'animaient aux limites de Bixby, de plus en plus agités ces derniers temps.

Et une présence rapide approchait depuis l'autre bout de la ville.

— Il arrive.

Ils se recroquevillèrent derrière leur buisson.

Jonathan atterrit quelques minutes plus tard.

Il y avait bien un an qu'elle ne l'avait plus admiré en action, s'aperçut Mélissa. Elle se souvint de sa grâce en le voyant pirouetter jusqu'au sol et se poser en douceur sur un pied, sans un bruit, au ralenti. Peut-être ne volerait-elle jamais avec Jonathan, mais au moins Mélissa pouvait savourer ses impressions lorsqu'il vibrait de la joie simple de voler.

À côté d'elle, Rex s'autorisa un court moment d'émerveillement.

— Psst! souffla Jonathan vers la fenêtre de Jessica.

— Psst toi-même...

Jessica enjamba sa fenêtre, courut vers lui et lui prit les deux mains.

Mélissa ne pouvait pas entendre leur conversation mais elle sentit ce qui passait entre eux, les clichés banals, diurnes. Ils parlaient à voix basse, à ce point fascinés l'un par l'autre qu'un darkling aurait pu les surprendre et les emporter tous les deux. Après une bonne minute sur la pelouse, ils pivotèrent ensemble dans la même direction. Côte à côte, se tenant par la main, ils fléchirent les genoux et bondirent, parfaitement coordonnés, comme s'ils ne faisaient qu'un.

Deux secondes plus tard ils avaient disparu derrière les arbres.

— Joli couple, commenta Mélissa en sortant de sa cachette.

Ils traversèrent la rue. Rex jetait des coups d'œil anxieux vers le ciel.

— Relax, ils sont déjà à mi-chemin du centre-ville.

Les deux dernières nuits, Mélissa les avait détectés non loin du centre de Bixby, probablement sur le toit d'un grand bâtiment loin du territoire des darklings et avec une vue dégagée. Jessica était bien plus en sécurité avec Jonathan que chez elle, même Rex avait dû le reconnaître.

La porte d'entrée était fermée à clé.

— Foutus rats des villes, gloussa Mélissa.

Ils se rendirent vers la fenêtre ouverte de la chambre de Jessica.

— Tu es de bonne humeur, dis donc, s'étonna Rex.

Elle se hissa par la fenêtre, en flairant quelques résidus mentaux de Jessica dans la pièce. Elle tendit la main à Rex pour l'aider et le vit esquisser un mouvement de recul avant de se rappeler qu'elle portait des gants.

— Je suis toujours de bonne humeur dans le temps bleu, répondit Mélissa lorsqu'ils furent tous les deux à l'intérieur. En particulier quand on m'offre l'occasion de donner la pleine mesure de mon talent télépathique.

Rex dégagea une brève bouffée d'angoisse.

Elle soupira.

— Ne t'en fais pas, je te promets d'y aller doucement.

— Je ne voudrais pas que tu y prennes goût. L'ancien savoir regorge de...

— ...mauvais conseils tous plus chiants les uns que les autres, l'interrompit-elle. D'ailleurs, puisqu'on en parle...

(Mélissa jeta un regard dédaigneux sur la chambre de Jessica.) Oh là là! ce qu'elle peut être *diurne*.

Rex fronça les sourcils.

— Elle est plutôt cool. Pourquoi la détestes-tu à ce point?

— Je ne la déteste pas, Rex. Je la trouve seulement… je ne lui trouve rien d'exceptionnel. On a dû l'échanger à la naissance contre une vraie midnighter. La vie est si facile pour elle.

— Je ne crois pas.

Ils poussèrent la porte et se retrouvèrent dans un long couloir. Mélissa ouvrit la première porte sur sa gauche.

— Ça sent… la petite sœur.

— Tu peux percevoir ce genre de truc?

— Je peux le voir.

Mélissa indiqua le sol. Il était jonché de jupes, de jeans, de tee-shirts, de papiers froissés et de livres scolaires. Deux murs disparaissaient sous des posters de boys-bands et sur le lit, une silhouette gracile gisait entortillée dans les draps, enlaçant une peluche.

Rex s'esclaffa.

— Tes pouvoirs psychiques m'impressionneront toujours.

Ils refermèrent la porte et longèrent le couloir. Ils découvrirent une salle de bains à droite, après quoi le couloir donnait sur la salle de séjour. Il restait une porte tout au fond.

— Je te parie qu'on brûle, dit Mélissa en tournant la poignée.

Les parents de Jessica se trouvaient derrière la porte, figés dans leur sommeil.

Mélissa les contempla, pâles et sans défense. À l'instar de tous les rigides, ils paraissaient à peine humains ; ils ressemblaient aux mannequins d'un magasin de vêtements qui auraient produit un effort de réalisme mais ne seraient parvenus qu'à se rendre effrayants.

Rex fit le tour de la pièce, jeta un coup d'œil dans les cartons près de l'armoire. Les rigides le mettaient mal à l'aise, comme presque tous les autres midnighters.

Ils laissaient Mélissa indifférente, en revanche. Aussi durs et froids soient-ils, c'étaient les seuls êtres humains qu'elle acceptait de toucher. Elle retira ses gants.

— Je crois que nous allons commencer par la maman.

20

UN REVIREMENT

— Salut, Beth. Bien dormi?

— Heu… Pourquoi tu me demandes ça?

— Pour rien. Le soleil brille, les oiseaux chantent et je vais te laisser ce toast que j'allais me faire griller.

Beth s'immobilisa devant la table.

— Qu'est-ce qu'il a, ton toast?

— Rien du tout. Je te le donne parce que tu es ma sœur.

Beth s'assit à la table de la cuisine et dévisagea sa grande sœur avec méfiance.

— Tu ne serais pas un peu trop de bonne humeur pour quelqu'un de puni?

Jessica réfléchit à la question, tout en regardant rougeoyer les résistances du grille-pain. Elle inspira l'odeur savoureuse qui montait de l'appareil.

— J'aime le pain grillé, répondit-elle.

Beth ricana.

— Puisque tu as l'intention de jouer les débiles mentales, tu ne voudrais pas me presser des oranges, aussi?

— Je ne suis pas de bonne humeur à ce point, Beth. (Le grille-pain émit un déclic.) Et voilà !

Jessica saisit la tranche de pain fumante du bout des doigts, la jeta sur une assiette, tournoya sur elle-même et déposa le tout devant sa sœur.

Beth examina le toast, puis haussa les épaules et entreprit de le beurrer.

Jessica se glissa deux autres tranches dans le grille-pain en fredonnant.

Elle se sentait légère, comme si la gravité de minuit ne l'avait pas complètement abandonnée. Chaque pas lui donnait l'impression qu'elle allait décoller, traverser la cuisine, passer par la fenêtre, s'envoler dans les airs. Elle avait rêvé toute la nuit qu'elle volait (hormis durant l'heure secrète, où elle avait bel et bien volé).

Jonathan et elle s'étaient posés sur la vieille enseigne Mobil Oil délabrée au sommet du plus haut immeuble de Bixby. Elle représentait un gigantesque Pégase. Les néons éteints qui soulignaient sa silhouette scintillaient sous la lune sombre, tandis que les ailes du cheval luisaient comme celles d'un ange venu la défendre contre les darklings.

La charpente métallique qui soutenait l'enseigne était rouillée, mais sans doute pure, Jonathan en était presque certain. Les darklings ne s'aventuraient pour ainsi dire jamais si loin au cœur de la ville. Il y venait depuis deux ans et n'avait jamais aperçu ne serait-ce qu'un grouilleur.

Pendant trois nuits d'affilée, elle s'était sentie en sécurité dans le temps bleu. En sécurité, légère comme une plume, et…

Le grille-pain cliqueta de nouveau.

— Heureuse, acheva-t-elle à mi-voix.

— Ouais, tu es heureuse. Je crois que j'ai compris. (Beth étalait de la confiture sur sa tartine.) Toujours pas au point de me presser des oranges?

Jessica sourit.

— Pas loin.

— Préviens-moi quand ce sera le cas. Alors, Jess?

— Oui?

— Ce Jonathan que la police a ramassé avec toi? Tu l'aimes bien?

Jessica étudia avec attention sa petite sœur. Beth paraissait sincèrement intriguée.

— Oui, je crois.

— Vous sortez ensemble depuis longtemps?

— La nuit où la police nous a surpris, c'était la première fois.

Beth sourit.

— C'est ce que tu as raconté à maman. Mais comment se fait-il que la nuit d'avant, quand tu as débarqué dans ma chambre pour me faire ton petit numéro de grande sœur, tu étais tout habillée?

Jessica avala sa salive.

— Habillée?

— Ouais. En jean avec, je ne sais plus, un sweat-shirt. Même que tu étais en sueur et que tu sentais l'herbe fraîche.

Jessica haussa les épaules.

— J'étais simplement sortie faire un tour. Je n'arrivais pas à dormir.

— Bonjour, les filles !

Jessica sursauta.

— Bonjour, maman. Tu veux mon toast ? Je peux en refaire.

— D'accord, Jess. Merci.

— Tu es belle comme ça, maman.

— Merci.

Sa mère lissa le revers de son tailleur neuf tout en recevant la tranche de pain grillé de l'autre main. Elle s'installa à table.

— Waouh, on t'autorise à prendre le petit déjeuner avec nous maintenant ? s'étonna Beth. Je croyais qu'Aerospace Oklahoma voyait d'un mauvais œil tout ce qui ressemblait de près ou de loin à une vie de famille.

— La paix, Beth. J'ai un truc à dire à ta sœur.

— Oh, oh. J'en connais une pour qui ça va barder.

— *Beth…*

Beth enfourna son toast dans la bouche pour s'obliger à se taire. Pendant qu'elle abaissait lentement le poussoir du grille-pain, Jessica réfléchissait à toute vitesse. Elle retourna s'asseoir face à sa mère, tâchant de réfléchir à ce qui avait pu la trahir. Elle n'avait pourtant rien laissé au hasard. Elle ne sortait qu'après le début du temps bleu – Jonathan avait besoin de quelques minutes pour venir de chez lui, de toute manière – et regagnait toujours son lit avant la fin. Sa mère avait peut-être retrouvé une chaussure sale, ou une fenêtre ouverte, ou relevé ses empreintes digitales au sommet des bâtiments du centre-ville...

Beth. Jessica fusilla sa petite sœur du regard. Elle avait sûrement raconté à leurs parents qu'elle était habillée dans la nuit de vendredi. Beth battit des cils, l'air innocent.

— Ton père et moi avons discuté de ta punition ce matin.

— Il est déjà réveillé? s'émerveilla Beth.

— Beth... commença sa mère, avant de s'interrompre. En fait il s'est réveillé de bonne heure, mais s'est rendormi aussitôt après. Nous avons eu tous les deux une nuit assez agitée. Et nous sommes convenus qu'il aurait peut-être fallu réfléchir un peu plus à ta punition avant de décider quoi que ce soit.

Jessica jeta à sa mère un regard méfiant.

— En clair, ma punition est allégée ou alourdie?

— Ouais, dit Beth. Vous comptez changer d'avis ou quoi?

— Nous nous sommes dit que tu étais nouvelle ici, que tu éprouvais sans doute le besoin de te faire accepter. Tu as eu tort d'agir comme tu l'as fait, Jess, mais tu n'avais pas de mauvaises intentions.

— Et voilà. Ils ont changé d'avis!

— Beth, va te préparer pour l'école!

Beth n'esquissa pas le moindre geste, se contenta de rester là bouche bée. Jessica n'en croyait pas ses oreilles. C'était toujours leur père le premier à céder, alors que leur mère restait chaque fois sur ses positions; pour elle, une punition négociable était sans valeur aucune, certainement un truc qu'elle avait appris dans son école d'ingénieur.

— Nous pensons qu'il serait bon de te faire de nouveaux amis maintenant. Tu as besoin de stabilité, de compagnie. Te garder enfermée dans ta chambre ne serait pas sain. Ça pourrait entraîner des complications plus tard.

— Donc, je suis punie ou pas?

— Tu restes consignée à la maison, mais tu auras le droit d'aller chez des amis une nuit par semaine. Mais on veut savoir où tu es.

Beth lâcha un ricanement que son toast n'étouffa qu'à moitié. Mme Day allongea le bras par-dessus la table et prit la main de sa fille.

— Nous voulons que tu te fasses des amis, Jessica. Nous tenons aussi à ce que tu ne coures aucun danger.

— D'accord, maman.

— Je file, je suis en retard. À ce soir. Ne ratez pas le début des cours.

Après son départ, Beth récupéra le toast intact dans l'assiette de sa mère et entreprit de le beurrer en secouant la tête.

— Je me souviendrai de cette discussion la prochaine fois que j'aurai des ennuis. C'est la première fois que je vois maman revenir sur ses positions de cette manière. Bien joué, Jessica.

— Je n'ai rien fait.

— « Tu veux mon toast, maman. » « Tu es belle comme ça, maman », parodia Beth. Je suis étonnée que tu ne lui aies pas proposé de lui presser des oranges.

Jessica cligna des paupières, abasourdie. Elle qui se sentait si joyeuse ce matin. Son estomac se noua. Voler chaque nuit en compagnie de Jonathan avait été merveilleux. Mais voilà qu'elle n'avait plus d'excuse pour remettre à plus tard le plan de Rex, plus de raison pour rester loin de la fosse aux serpents. Elle allait devoir affronter les darklings.

— Je ne sais pas, Beth. Je ne crois pas que ça venait du toast.

— Je te parie que c'est papa qui a changé d'avis. Il ne va pas très fort en ce moment.

Jessica secoua la tête.

— Je ne sais pas. Maman avait l'air d'avoir beaucoup réfléchi à la question. (Elle se tourna vers Beth.) En tout cas, merci de n'avoir rien dit à propos de… ma petite escapade de vendredi soir.

— Ton secret ne risque rien avec moi. (Beth sourit.) Tant que je ne l'aurai pas découvert. Après, tu es morte.

Jessica tendit le bras et pressa la main de sa sœur.

— Je t'aime, Beth.

— Beurk, arrête ça tout de suite ! On a déjà maman qui déjante, ça suffit.

Jessica fronça les sourcils.

— Peut-être que je leur ai fait peur, à sortir en douce comme ça.

— Peut-être, admit Beth en engloutissant sa dernière tartine. C'est vrai... Il y a de quoi flipper...

Ce matin-là, un silence de mort planait sur la bibliothèque.

Jessica et Jonathan avaient alimenté toutes les rumeurs pendant deux jours mais les mauvaises langues allaient s'émousser. La deuxième semaine de classe, les devoirs commençaient à tomber et les élèves venaient ici pour étudier. Même Constanza semblait absorbée par un livre d'histoire.

Jessica, pour sa part, était plongée dans son manuel de physique. Ces dernières nuits passées avec Jonathan l'avaient aidée à mieux appréhender cette matière, et elle parvenait enfin à comprendre un peu ces questions de poussées égales et opposées. Le fait de rebondir dans les airs chaque nuit rendait les lois du mouvement beaucoup plus intéressantes, et l'inertie n'avait plus de secret pour elle. Mais comme les formules lui posaient encore certains problèmes, elle avait décidé de demander de l'aide à Dess.

Il lui fallut presque toute l'heure pour trouver le courage de lui raconter ce qui s'était passé au petit déjeuner.

— Tu es au courant pour cette expédition à la fosse aux serpents ?

— Oui, on y travaille encore. Rex et moi essayons de trouver un moyen de t'amener là-bas sans risque, dit Dess.

De toute façon, j'ai cru comprendre que tu t'amusais bien à échapper aux griffes des méchants.

— C'est vrai. (Jessica sourit. Le danger rendait ses heures secrètes avec Jonathan beaucoup plus excitantes qu'un rendez-vous ordinaire.) Mais j'ai du nouveau. J'ai appris ce matin que je n'étais plus interdite de sortie.

— Vraiment ? C'est super.

— Ouais, je suppose. Bizarre, quand même. Mes parents avaient l'air bien décidés à me punir. Et voilà que ce matin, ma mère me balance tout un discours comme quoi je devais me faire des amis.

Dess haussa les épaules.

— Ça arrive. Mes parents racontent ça sans arrêt. Au printemps dernier, la première fois que je me suis vu embarquer avec Rex et Mélissa pour ne pas avoir respecté le couvre-feu, ils avaient juré de m'envoyer dans un camp de cinglés pendant les vacances.

— Où ça ?

— Une sorte de camp d'été pour jeunes délinquants. Dirigé par l'État, le genre carcéral. Mon père est dans les puits de pétrole, et il croit dur comme fer aux vertus du travail. Mais deux jours après mon arrestation, ils ont complètement changé d'avis. Depuis, ils sont plutôt cool. Ils ont même commencé à apprécier Rex et Mélissa.

— Oui, eh bien, mes parents ne comptaient pas m'envoyer loin d'ici, enfin, je ne crois pas. Mais je trouve quand même bizarre que ma mère fasse machine arrière comme ça. (Jessica soupira, se frotta les mains avec nervosité.) Bref, je suppose qu'il ne reste plus qu'à essayer ce truc de fosse aux serpents.

— Le plus tôt sera le mieux, approuva Dess. Une fois que nous aurons déterminé quel est ton talent, nous saurons pourquoi les darklings ont si peur de toi. La fête de Constanza est une occasion idéale.

— Ah oui? dit Jessica. Ma mère n'a pas parlé de fêtes jusqu'au bout de la nuit.

Dess se pencha vers elle.

— C'est le plus sûr moyen de t'amener là-bas avant minuit. Nous devons déjà échapper au père de Rex et à mes parents. Nous aurons peut-être besoin de nous frayer un chemin de force jusqu'à la fosse. Avec toi en plus, ça deviendrait compliqué. On n'a rien contre toi, Jess. Mais tu as une fâcheuse tendance à attirer les ennuis.

— Bien sûr, reconnut Jessica d'une voix maussade. Jessica Day, la catastrophe ambulante.

— Les darklings s'enhardissent les soirs, surtout dans le désert. Ça n'a rien à voir avec le centre-ville.

— Sauf que, quand la soirée se figera, je me retrouverai seule là-bas.

— Tu seras pratiquement à la fosse. Elle se trouve au beau milieu du Creux, dit Dess. Tu n'auras qu'à t'éloigner un peu avant minuit et en cinq minutes, tu seras au milieu de mes défenses. Mélissa nous conduira en voiture jusqu'au bord du Creux, Rex et moi. Nous terminerons à pied. Sans toi, les darklings ne devraient pas nous créer trop de difficultés si nous sommes en retard.

Jessica ne souffla mot. L'idée de se rendre seule à minuit à la tristement célèbre fosse aux serpents ne la réjouissait pas outre mesure.

— Tu es sûre qu'on ne risquera plus rien une fois sur place ?

Dess acquiesça.

— Je te le jure. J'ai passé la semaine à travailler sur mes protections. J'ai une tonne de métal prêt à l'emploi. Rex et moi irons tout mettre en place demain après les cours. Les darklings ne pourront pas s'approcher à moins de cent mètres de la fosse.

— C'est sûr ?

— Je t'assure que ça ira. Bien sûr, fais quand même attention avant minuit.

— À quoi ?

— Aux serpents, tiens.

Jessica battit des cils.

— Tu sais, insista Dess avec patience, dans la fosse aux serpents.

— Oh. Je croyais qu'il s'agissait d'un nom comme ça, pas d'un truc à prendre au pied de la lettre.

— Il ne faut pas te laisser abuser par le nom, dit Dess. C'est plus un trou qu'une fosse. Un trou plein de serpents.

— Super. Je garderai ça à l'esprit.

Jessica frissonna, en se rappelant les grouilleurs cette deuxième nuit. L'idée qu'elle puisse croiser de vrais serpents ne la rassurait guère.

— Peut-être que cette fête ne se fera pas, remarque. Je ne sais même pas si je suis toujours invitée.

Dess jeta un œil aux filles à l'autre bout de la bibliothèque.

— Il n'y a qu'une façon de l'apprendre.

Deux des amies de Constanza levèrent la tête en voyant approcher Jessica. Elle continuait d'attirer certains regards, en particulier à la cantine auprès de Jonathan. Jessica les ignora et s'accroupit à côté de Constanza.

— Heu, à propos de ta fête vendredi…? lui glissat-elle à l'oreille.

Constanza leva les yeux vers elle.

— Oui?

— Ma punition a été, comment dire, levée.

— Sérieux? (Constanza lui adressa un grand sourire.) Waouh! Tu es raccompagnée à la maison par la police, et une semaine plus tard t'as le droit de faire la fête? Pas mal, Jessica.

— Ben oui. J'imagine. Donc, à propos de cette fête au Creux des Bruissements? Je veux dire, je sais que tu as probablement…

— Super.

— Je veux dire, s'il y a déjà trop de…

— Mais non! Viens.

Jessica avala sa salive.

— Par contre, je ne sais pas du tout comment m'y rendre. Et c'est sans doute trop loin pour…

— Je t'emmènerai en voiture. Tu n'auras qu'à dormir chez moi. Comme ça, tes parents ne piqueront pas une crise en te voyant rentrer super tard.

— Oh, dit Jessica, bonne idée.

D'autres excuses se pressaient dans sa tête, mais le sourire radieux de Constanza les fit taire.

— Tu rentres avec moi demain soir après les cours? On va bien s'amuser.

— Cool, bredouilla Jessica.

— J'ai hâte de te présenter à mes amis. Je sais que tu as un petit faible pour ton Jonathan, mais fais-moi confiance, les garçons de Broken Arrow sont beaucoup plus amusants que ceux de Bixby. Beaucoup plus matures, aussi. Ça va être la soirée de ta vie, Jess.

21 | 00h00
PÉGASE

Jessica avait peur. Jonathan le sentait.

Ils avaient atteint Pégase en un temps record, filant sur Division comme une pierre qui ricoche au ras de l'eau, avant de prendre de l'altitude et de bondir de toit en toit. Le Mobil Building était l'immeuble le plus élevé de Bixby et, du haut du cheval ailé, ils voyaient désormais la ville éteinte s'étaler à leurs pieds.

Mais Jessica avait transpiré d'angoisse tout au long du chemin. Elle n'avait cessé de regarder derrière elle. Visiblement, elle ne se fiait plus à leur vitesse pour assurer leur sécurité. Même là-haut, ses yeux verts continuaient à scruter l'horizon. Elle avait la main crispée, et semblait absente.

— Ça va?

— Quoi?

— Tu as l'air nerveuse.

Elle haussa les épaules.

Il sourit.

— Comme si tu craignais d'être aperçue en ma compagnie.

Jessica rit, en contemplant la ville sombre et déserte.

— Oui, si un grouilleur vend la mèche à ma mère, je suis morte. (Elle marqua une pause, puis bredouilla :) D'ailleurs, c'est plutôt toi qui m'évites pendant la journée.

Jonathan battit des cils.

— Vraiment ?

— Oui. (Jessica détourna la tête.) Je ne veux pas faire d'histoires, mais on ne peut pas dire que tu sois très pressé de me serrer contre toi ou de me prendre la main.

— On se tient par la main sans arrêt !

— Oui, à minuit. Mais au lycée, on dirait que ça te gêne.

Il fronça les sourcils en se demandant si tout cela était vrai.

— Il faut bien faire une pause de temps en temps. Je vais finir par me payer un poignet en titane.

Jessica retira sa main et la fit tourner dans le vide.

— Bien sûr.

Jonathan la lui reprit doucement et se mit à lui masser les tendons.

— Allez, dis-moi ce qui t'ennuie, en fait ?

Elle promena son regard sur la ligne des toits.

— À quel point sommes-nous en sécurité ici, à ton avis ?

— Nous sommes au milieu de la ville, assis sur dix tonnes d'acier propre. Mobil Building comporte treize lettres. Et nous pouvons voler en cas de besoin. On ne risque donc pas grand-chose.

Jessica passa le doigt le long de la poutrelle rouillée sur laquelle ils se tenaient.

— Comment sais-tu que cet acier est encore propre ? Il est là depuis un bout de temps, on dirait.

— J'ai demandé à Dess si Rex pouvait y jeter un coup d'œil sans ses lunettes. Quand Pégase est allumé, on le voit d'un bout à l'autre de Bixby, tu sais ? Il a dit que le cheval ne portait pas le moindre soupçon d'Empreinte. Il est propre.

Elle lui sourit.

— C'est gentil d'avoir fait ça.

Il haussa les épaules.

— Rex est souvent gonflant, mais son pouvoir s'avère parfois bien pratique.

Il entreprit de lui masser l'autre main.

Jonathan n'avait pas voulu en parler à Jessica mais, au cours de la dernière semaine, il avait repéré quelques grouilleurs aux abords du centre-ville. Il n'en avait encore jamais vu s'approcher aussi près des grands immeubles en acier. Ils se faufilaient prudemment entre les entrepôts de la périphérie, brouillaient peu à peu les frontières de minuit et marquaient leur territoire. Depuis l'arrivée de Jessica, les créatures gagnaient en assurance, se rapprochaient un peu plus chaque nuit. Ils en auraient peut-être pour des mois, mais Jonathan était convaincu qu'un beau soir il ne resterait plus un seul endroit intact dans tout Bixby. Les grouilleurs et leurs maîtres darklings finiraient même par atteindre Pégase.

Où Jessica et lui se retrouveraient-ils, alors ?

— On ne peut pas rester éternellement assis sur cette enseigne, Jonathan.

Il leva les yeux vers elle. Avait-elle lu dans ses pensées ? Son talent avait peut-être un rapport avec la télépathie. Jonathan espérait que non. Il ne comprenait pas comment Rex pouvait supporter la compagnie de Mélissa. Il frémit. Ne pas avoir la moindre intimité, pas même au fond de son cerveau…

— On ne risque rien pour l'instant, Jess. Et peut-être que quand tu ne seras plus punie…

— Ma punition a été levée, annonça Jessica.

— C'est super ! Pourquoi ne pas l'avoir dit tout de suite ? s'exclama-t-il. (Puis il remarqua son expression.) Heu… c'est pas super ?

— Eh bien, ça veut dire que plus rien ne m'empêche de me rendre à cette fête demain soir, au Creux des Bruissements.

— Oh, la fosse aux serpents.

Jessica lui avait parlé du fameux plan de Rex quelques jours plus tôt. L'idée lui avait paru assez dangereuse lorsqu'elle n'était encore qu'un vague projet. Maintenant qu'elle risquait de se concrétiser, dans moins de vingt-quatre heures…

— Tu sais que ça se trouve en plein désert.

— Je suis au courant, oui. Mais Rex prétend que c'est le seul moyen de découvrir ce que je suis, dit Jessica. Dess se charge de sécuriser l'endroit, et d'après Rex, mon talent a des chances d'être quelque chose d'important, un truc qui pourrait peut-être me permettre de me défendre. Au musée, il m'a dit qu'il existait toutes sortes de talents redoutables.

— Si Rex te disait de sauter d'une falaise… commença Jonathan.

— Arrête, l'interrompit-elle en riant. C'est toi qui voudrais me faire sauter d'une falaise.

Il sourit.

— Peut-être bien. Mais je sauterais avec toi.

Elle l'attira contre lui.

— Il faut que je fasse quelque chose, Jonathan. Je ne vais pas passer le reste de ma vie assise ici.

— Je sais. (Il soupira.) Alors, il faut que tu écoutes Rex. C'est le seul à maîtriser le manuel de minuit, après tout.

Jessica le regarda dans les yeux.

— C'est pour ça que tu ne l'aimes pas, hein? Parce qu'il peut déchiffrer l'ancien savoir alors que toi, non?

Jonathan fit la grimace.

— C'est plus compliqué que ça. (Il se tut : devait-il tout lui révéler?) Tu ne connais pas Rex et Mélissa aussi bien que moi. Disons juste que je n'ai pas confiance en lui. Je ne crois pas qu'il dise tout ce qu'il sait, pas même à Mélissa.

— Pourquoi agirait-il ainsi?

— Pour garder un certain contrôle sur la situation. Si tout le monde en savait autant que lui, être voyant ne présenterait plus aucun avantage.

— Rex pratiquerait la rétention d'infos ? Allez, Jonathan. Le week-end dernier au musée, il m'a parlé du temps bleu pendant, quoi, six heures. J'ai dû lui demander d'arrêter avant que ma tête finisse par exploser.

— Et en six heures, il n'a pas trouvé le temps de te parler de moi.

Jessica cligna des paupières.

— Oh, c'est vrai. Il a un peu oublié de mentionner ton existence.

Jonathan eut un sourire amer.

— Il voulait que tu sois l'une de ses midnighters à lui.

Elle soupira et détourna les yeux. Il suivit son regard au-delà de la ville jusqu'à l'horizon. De là où ils se tenaient, ils distinguaient clairement la limite de Bixby, le point où les dernières maisons se fondaient dans le désert. Les plaines luisaient sous la lune sombre et tout au fond, la silhouette noire des montagnes se découpait sur le ciel étoilé.

— Que dois-je faire ? murmura-t-elle.

— Je crois que tu n'as pas tellement le choix. Il va falloir suivre les conseils de Rex. (Jonathan soupira.) Parfois, toute cette histoire de midnighters me donne l'impression qu'elle est truquée.

— Truquée ?

— Tu sais, arrangée. Chacun d'entre nous possède un talent propre. Rex déchiffre l'ancien savoir, Mélissa lit dans les esprits, Dess fait des calculs savants. Tu dois *forcément* faire quelque chose. Du coup, on se retrouve dépendants les uns des autres, comme si nous étions tous supposés faire partie d'une équipe.

Jessica lui pressa la main.

— Qu'y a-t-il de si terrible là-dedans?

Il fronça les sourcils.

— Je n'ai pas demandé à intégrer une équipe, moi. Je ne sais même pas qui l'a créée.

— Peut-être le destin.

— Faire partie de l'équipe du destin ne m'intéresse pas non plus. (Il retira sa main.) Je me sens piégé, comme si nous étions tous obligés de cohabiter.

Jessica secoua la tête.

— Il n'y a aucun piège là-dedans, Jonathan. C'est la vie.

— Quoi donc? Devoir suivre les indications de Rex?

— Non, avoir besoin d'aide. Être obligés de cohabiter les uns avec les autres.

— Comme le fait que tu te retrouves coincée ici avec moi?

— Oui, c'est ça. Comme le fait que tu te retrouves obligé de me protéger.

Jessica se leva sur la poutrelle étroite. Elle s'écarta de quelques pas, jetant un regard noir sur la ville plongée dans la pénombre.

— Je ne voulais pas dire… commença-t-il, en se dressant à son tour.

Tous les deux demeurèrent silencieux. Jonathan respira profondément, tâchant de comprendre à quel moment cette conversation s'était transformée en dispute. Il se sentait bel et bien piégé maintenant. Pas par Jessica, ni même par les darklings qui la poursuivaient, mais par ces paroles qu'elle avait prononcées – en ne sachant que dire pour redresser la situation.

C'était étrange de ne pas toucher Jessica, de ne pas partager sa gravité avec elle. L'air de minuit lui parut froid, comme si l'espace qui les séparait s'était rempli de glace. Tout semblait si facile quand ils volaient. Au cours des quatre dernières nuits, ils avaient cessé d'annoncer à voix haute où les emporterait leur prochain saut. Ils communiquaient mieux avec leurs mains qu'avec des mots.

Et voilà qu'ils étaient coincés là – sans voler, sans parler, sans se toucher. Jonathan avait la sensation que la gravité l'avait rattrapé, et l'écrasait.

Il baissa les yeux à travers la charpente rouillée qui soutenait le Pégase au-dessus du toit du Mobil Building, quelque douze mètres plus bas.

— Jess ?

Elle ne répondit pas.

Il tendit le bras.

— Tu ferais mieux d'attraper ma main. C'est dangereux, ici.

— C'est dangereux partout. Pour moi.

La peur qui transparaissait dans sa voix le glaça. Minuit aurait dû représenter un moment merveilleux pour elle, un immense terrain de jeu, mais il semblait toujours y avoir quelque chose – Rex et son ancien savoir, le couvre-feu, les darklings – pour lui gâcher le plaisir.

— Jess, insista-t-il. S'il te plaît, attrape ma... (Sa voix mourut : il venait de trouver l'explication possible de sa contrariété, la raison pour laquelle elle lui en voulait.) Je serai là demain soir. À la fosse aux serpents. Tu le sais, n'est-ce pas ?

Elle se tourna vers lui. Ses yeux verts s'étaient radoucis.

— Vraiment ?

— Oui, bien sûr. Tu ne croyais pas que j'allais vous laisser vous amuser sans moi ?

Son visage se détendit en un large sourire.

— Je suis même disposé à me plier aux instructions de Rex, poursuivit-il. C'est peut-être bien l'une de ces situations où il vaut mieux avoir lu le manuel.

— Merci, Jonathan.

Elle accepta enfin de lui redonner la main, et la gravité de minuit rétablit le contact entre eux.

Jonathan sourit.

— Jess, je ne t'aurais jamais laissée...

Mais avant qu'il puisse achever sa phrase, elle inclina sa tête vers lui et l'embrassa.

Jonathan battit des cils, puis ferma les yeux. Jessica était toute chaude contre lui, dans l'air tiède de l'heure secrète. Il referma ses bras autour de sa taille et la sentit décoller légèrement du sol.

Lorsqu'ils se détachèrent, il sourit.

— Waouh. Je crois qu'on a découvert ton talent.

Elle rit.

— Il était temps, Jonathan.

— Qu'on s'embrasse? Oui, je commençais à...

— Non. Que tu me dises que tu venais à la fosse aux serpents.

— Enfin, Jess, bien sûr que je viens. Je ne vais pas laisser Rex te faire tuer.

— Tu aurais dû me le dire tout de suite, dit-elle.

— Tu aurais dû me le demander.

Elle gémit, l'attira de nouveau contre elle et le serra de toutes ses forces.

— Ne sois pas idiot, murmura-t-elle.

Jonathan fronça les sourcils et préféra ne rien dire. Sans s'éloigner d'elle, il leva la main et défit le fermoir de son collier.

— Tiens, prends ça pour demain soir.

— Ta chaîne?

— Elle s'appelle Oblitératrice: trente-neuf maillons. Il me faudra bien dix minutes pour atteindre le Creux depuis chez moi. Tu en auras peut-être besoin avant que j'arrive.

Elle referma les doigts sur les maillons d'acier.

— Ça ne te laisse plus rien pour te protéger.

— Dess aura sûrement un truc à me refiler. Elle en a fabriqué toute la semaine. Je tiens à ce que tu aies celui-ci.

— Merci, Jonathan. (Le sourire de Jessica illuminait son visage.) Dis-moi, avais-tu déjà embrassé une fille...

— Oh, quand même. (La voyant froncer les sourcils, il rectifia :) Je veux dire, bien sûr.

— Je disais, reprit-elle, les yeux malicieux, avais-tu déjà embrassé une fille *pendant l'heure secrète* ?

Il rougit, puis secoua la tête.

— Non, c'est la première fois.

Le sourire de Jessica s'élargit.

— Alors, tu n'as jamais fait ça.

Elle le saisit par la taille et fléchit les genoux. Il eut à peine le temps de se préparer qu'elle sautait, les propulsant tous les deux en plein ciel.

— Oh, dit-il.

Et ils recommencèrent à s'embrasser.

22

22 h 31

TENUE DE SOIRÉE

— Alors Jess, qu'est-ce que tu en dis? On est prêtes à y aller?

Jessica se contempla dans le miroir. Elle reconnaissait ses cheveux roux et ses yeux verts, mais c'était à peu près tout.

Constanza avait passé la soirée à les maquiller l'une et l'autre. Après un coup d'œil à la tenue de Jessica, elle avait décidé de lui prêter un blouson. Puis un peu de maquillage. Et enfin une robe.

Passer des heures à essayer les vêtements de Constanza s'était avéré des plus amusant. Elle en possédait deux armoires pleines, et l'un des murs de sa chambre était entièrement recouvert de miroirs. La plupart de ses vêtements allaient très bien à Jessica et tous étaient splendides ou, au moins, très coûteux. Constanza avait adoré chaque ensemble choisi par Jessica. Celle-ci se retrouvait dans la peau d'une adolescente ordinaire qui prépare une soirée, pas une expédition au fond d'une fosse remplie de créatures maléfiques. Constanza s'occupait de la musique, Jessica multipliait les essayages et, pour la première fois de la semaine, elle avait réussi à oublier l'heure et ce qui arriverait à minuit.

En détaillant sa tenue dans le miroir, Jessica fut surprise par sa métamorphose. Elle ne se reconnaissait pas dans l'épais blouson en cuir de Constanza, avec juste quelques centimètres de robe rouge qui dépassait par-dessous et un gloss assorti.

— Tu es sûre que ça ne fait pas trop… habillée?

— Trop habillée? dit Constanza. Tu veux dire « trop belle », ou « trop époustouflante »?

— Non, je veux dire « trop ridicule ».

— Jessica, tu n'es pas ridicule! Ils vont tous tomber comme des mouches.

— Qui ça, « ils »?

— Les garçons qui seront là. Et ils viennent de Broken Arrow.

Broken Arrow était le comté voisin, où les garçons étaient plus mignons, l'herbe plus verte et le couvre-feu inexistant, à en croire Constanza. Et où tout le monde avait la majorité.

Jessica avait l'impression d'être déguisée. Elle n'attachait aucun soin particulier à son apparence lorsqu'elle se rendait au lycée, ou sortait voler avec Jonathan. Elle n'avait pas besoin d'artifices avec lui.

— Ils ont des noms, ces garçons? demanda Jessica.

Elle éprouvait encore une certaine nervosité à l'idée de débarquer dans une soirée remplie d'inconnus.

— D'après toi?

— Je veux dire, tu les connais bien ?

— Rick, celui qui m'a invitée, est un copain de Liz, qui sera là.

Jessica soupira : l'objectif de la soirée était de se rendre au Creux des Bruissements, survivre à la fosse aux serpents et découvrir pourquoi les darklings lui en voulaient. Voilà ce qui comptait.

— Bon, je suis prête. Tu es super, toi aussi, au fait.

Constanza portait une veste et une jupe en pied-de-poule ainsi que des bottines avec des talons aiguilles. De toute évidence, elle ne prévoyait pas d'éviter les darklings ce soir-là.

— Oui, pas mal, je dois reconnaître.

Constanza rafla ses clefs de voiture sur sa coiffeuse et partit vers la porte, en criant bonsoir à sa mère.

Jessica fouilla dans les poches de son blouson et en sortit une lampe torche, une boussole et un bout de papier soigneusement plié. La boussole était un cadeau de Dess, qui lui avait aussi dessiné un plan du Creux afin de l'aider à trouver la fosse aux serpents. À l'idée des reptiles, Jessica avait rajouté la lampe torche de sa propre initiative. Enfin, elle portait autour du cou Oblitératrice, la chaîne à trente-neuf maillons de Jonathan.

— Tu viens, Jess ?

Elle respira un grand coup. Elle n'avait pas signalé la fête à ses parents. Que se passerait-il si sa mère appelait chez Constanza ? Bah, au pire elle serait punie. Pour toujours.

Elle se regarda une dernière fois dans le miroir et répéta son décatrigramme du soir :

— Improvisation.

Sur le chemin du Creux des Bruissements, Jessica jeta un coup d'œil par la vitre de la voiture et vit défiler un grillage surmonté de barbelés. Elle réalisa qu'elles étaient en train de longer les terrains d'Aerospace Oklahoma.

— Hé, c'est là que travaille ma mère ! s'exclama-t-elle.

— Elle conçoit des avions, c'est ça ?

— Seulement les ailes.

— C'est marrant que ce soit ta mère qui travaille et ton père qui reste à la maison.

Jessica haussa les épaules.

— Papa a renoncé à son travail à Chicago pour venir ici. Il n'arrête pas de changer de boîte de toute manière.

— Ç'a été cool de sa part, je trouve.

— Oui, sans doute. Mais j'ai l'impression qu'il regrette.

Jessica se redressa sur son siège. Elle vit un bâtiment en construction, tout illuminé. C'était celui sur lequel Jonathan et elle avaient trouvé refuge. Le chantier se poursuivait tard ce soir, semblait-il. La charpente d'acier était éclairée ; de gros projecteurs pendaient de chaque poutrelle, bercés par le vent d'automne. On se serait cru à l'heure secrète, au moment où la lune s'était couchée et le bâtiment entier s'était soudain embrasé d'une lumière blanche, repoussant les grouilleurs et les darklings.

— Au fait, pas de nouvelles constructions à ton boulot ? murmura Jessica.

— Hein ? fit Constanza.

— Rien. Juste un truc que j'ai oublié de demander à ma mère.

Jonathan et Jessica avaient reparlé deux ou trois fois de ce soir-là, de ce qui les avait sauvés. Jonathan pensait que la charpente devait être faite d'un alliage inconnu. Jessica avait raconté l'histoire à Rex et à Dess mais, trop affairés à organiser leur expédition à la fosse aux serpents, ils n'avaient pu lui apporter aucune réponse. Rex n'était donc pas incollable sur minuit.

— Je voulais lui poser des questions sur son nouveau poste, continua Jessica. Mais elle a tellement de travail que je n'ai pas trouvé le temps.

— Ouais, mon père, c'est pareil, déplora Constanza. Ce n'est pas que je m'intéresse à son boulot, remarque. Les puits de pétrole, tu sais... (Elle pointa le doigt devant elle et son sourire s'agrandit.) Félicitations, Jessica, te voilà officiellement en train de quitter Bixby.

La pancarte passa en un éclair, et Jessica éprouva des picotements à l'estomac. Elles quittaient Bixby, oui – mais surtout elles s'enfonçaient droit dans le désert.

— Prochain arrêt, la fosse aux serpents, marmonna-t-elle pour elle-même.

Elle consulta sa montre. Plus que cinquante-sept minutes avant minuit.

23

LES COORDONNÉES

Rex et Mélissa étaient en retard.

Dess regarda sa montre. Trois minutes seulement s'étaient écoulées, mais cela ferait juste pour atteindre la fosse aux serpents. La vieille voiture de Mélissa ne les emmènerait pas jusqu'au bout. Ils devraient couvrir à pied les derniers huit cents mètres jusqu'au Creux.

Après les cours, ils s'étaient rendus à la fosse tous les trois afin d'installer son matériel. Dess aurait préféré qu'ils restent sur place ; rentrer chez eux et attendre que leurs parents s'endorment avait été une bien mauvaise idée. Mieux valait braver la colère de papa et maman que se faire surprendre par des darklings affamés en chemin.

Mais Rex devait s'assurer que son cinglé de père soit au lit avant de pouvoir partir. Comme si s'occuper de Mélissa ne lui suffisait pas…

Dess compta jusqu'à treize, pour se détendre. Elle plongea la main dans les entrailles de la boîte à musique d'Ada Lovelace et en sortit quelques rouages, qu'elle réarrangea en visualisant la nouvelle chorégraphie. Elle remonta le ressort de la ballerine et la regarda tournoyer, en vérifiant ses prédictions.

Ada s'élança, toujours prête à danser, mais ses nouveaux pas prirent une tournure inattendue : lors du final, elle leva un bras vers l'avant. Dess secoua la tête. Elle voyait maintenant son erreur : elle avait remonté l'un des rouages à l'envers.

C'était la faute de Rex et de Mélissa si elle était aussi anxieuse. S'ils étaient arrivés à l'heure, Rex serait en train de se ronger les ongles tandis que Mélissa et elle pourraient tranquillement se moquer de lui en affichant leur sérénité. Ils seraient en route pour la fosse aux serpents, où le chef-d'œuvre métallique de Dess lui vaudrait des « oooh ! » et des « aaah ! » d'admiration pendant que les grouilleurs seraient réduits en cendres.

Elle jeta un nouveau coup d'œil par la fenêtre. Toujours pas de vieille Ford déglinguée en vue.

Dess allongea un coup de pied à son sac de toile, qui émit un tintement métallique rassurant. Elle était parée, armée jusqu'aux dents d'un arsenal anti-darkling de pointe au cas où ses défenses céderaient autour de la fosse aux serpents. Et elle avait laissé un nouveau joujou spécial sur le toit à l'intention de Jonathan, qui n'aurait plus qu'à le récupérer au passage. Elle avait fait sa part.

Alors, où étaient donc passés Rex et Mélissa ?

L'envie de les appeler la démangeait, mais ç'aurait été stupide. Les parents de Mélissa la laissaient libre de sortir, mais le père de Rex était un vrai cinglé. Si celui-ci était en train de se faufiler par la fenêtre de sa chambre, le moment serait mal choisi pour faire sonner le téléphone.

De toute manière, ils avaient intérêt à être déjà en route.

Vingt-trois heures six. Dans quarante secondes, on serait exactement quarante mille secondes après midi. Surtout, il ne resterait plus que trois mille deux cents secondes avant minuit. Dess sentait le temps bleu – rempli de darklings – foncer vers elle à mille six cents kilomètres à l'heure.

D'accord, songea-t-elle. *Un peu plus vite que ça, en fait.* La circonférence de la Terre était d'environ quarante mille kilomètres, et la journée comptait vingt-quatre heures. De sorte que minuit devait se déplacer à quelque mille six cent soixante-six kilomètres à l'heure pour boucler le tour de la planète une fois par jour.

Elle avait vu ça sur Discovery Channel, filmé à bord de la navette spatiale : le terminateur, la ligne de démarcation entre le jour et la nuit, qui balayait la surface du globe. Le vrai minuit devait fonctionner sur le même modèle, comme une sorte de ligne invisible parcourant le monde, apportant le temps bleu.

En ce moment, minuit devait se situer à quelque mille quatre cent quarante kilomètres plus à l'est, dans le fuseau horaire précédent. Bien sûr, d'après Rex, il n'existait ni darklings, ni midnighters ni temps bleu en dehors de Bixby. Il n'avait jamais su dire pourquoi. La réponse ne figurait-elle pas plutôt dans les maths que dans l'ancien savoir ?

Elle regarda par la fenêtre. Toujours aucun signe de Rex ou de Mélissa.

Pendant un bref instant, affreux, elle se demanda s'ils ne l'avaient pas oubliée. S'ils n'étaient pas partis sans elle pour la fosse aux serpents. Un vieux sentiment d'isolement la saisit.

Tout ça, c'était de la faute de Mélissa, la grande télépathe. Elle avait localisé Rex alors qu'ils avaient huit ans tous les deux. Dess avait sept ans alors, mais il avait fallu quatre ans à Mélissa pour la trouver. Elle avait prétendu que Dess vivait trop près du désert, qu'à cette époque les darklings et les grouilleurs brouillaient son talent encore hésitant.

Dess n'avait jamais vraiment accepté cette explication. Mélissa pouvait repérer Rex à plus d'un kilomètre de distance, même en plein jour; dans le temps bleu, les autres midnighters se détachaient comme des faisceaux sur un ciel nocturne. Elle avait d'ailleurs repéré Jonathan et Jessica quelques jours à peine après leur arrivée. Mais pendant les quatre années que Rex et Mélissa avaient passées ensemble, Dess n'avait connu que les grouilleurs, la certitude solitaire des maths, ainsi qu'Ada Lovelace.

Elle se pencha sur la boîte d'Ada, rectifia la position du rouage défaillant et remonta le mécanisme.

— Danse, ma belle.

Dess était convaincue d'avoir été tenue à l'écart pendant toutes ces années. Mélissa avait joué la montre pendant que Rex et elle exploraient minuit, grandissaient ensemble.

Son plan avait fonctionné. Lorsqu'elle avait fini par « trouver » Dess, Rex et elle étaient si proches que rien ne pourrait jamais les séparer. Et l'emprise psychique de Mélissa sur Rex était telle que ce dernier ne pouvait pas imaginer que Mélissa ait pu agir de la sorte.

Dess respira profondément et regarda par la fenêtre.

Ils n'oseraient pas la lâcher ce soir. Même avec les défenses anti-darklings en place autour de la fosse aux serpents, ils auraient besoin d'elle au cas où les choses tourneraient mal. En matière d'acier, elle était la seule à pouvoir improviser. Sans elle, la mission serait vouée à l'échec.

Le pire, c'est que Jonathan Martinez les avait tous déçus, en volant seul dans sa bulle au lieu de contribuer à souder le groupe. Peut-être que Jessica le ferait redescendre sur terre, quand ils voudraient bien réémerger de leur histoire.

Dess secoua la tête. Elle devait cesser de ressasser tout ça avant l'arrivée des autres. Elle ne tenait pas à offrir ses états d'âme en pâture à Mélissa.

Comme chaque fois qu'elle voulait camoufler ses pensées, Dess s'immergea dans les nombres.

— *Ane, twa, thri, feower…*

Quelques secondes plus tard, le déclic s'opérait dans sa tête : encore une erreur de calcul.

— La deuxième de la soirée, grommela-t-elle.

Minuit ne fonçait pas vers Bixby à mille six cent soixante-six kilomètres à l'heure. Il ne devait atteindre cette vitesse qu'à l'équateur, la ligne de latitude qui faisait le tour de la véritable circonférence du globe, comme un mètre à ruban au niveau le plus large de la panse d'un obèse.

Dess voyait sans conteste son erreur désormais. Plus vous remontiez au nord, plus minuit (ou l'aurore, où ce que vous vouliez) se déplaçait lentement. À quelques kilomètres du pôle, le matin allait à la vitesse d'une tortue asthmatique, prenant toute la journée pour boucler un petit cercle.

Elle se pencha à la fenêtre. Toujours pas de Ford en vue, et minuit dans deux mille neuf cent soixante-dix-huit secondes.

Une question la rendait folle : à quelle allure minuit avançait-il en direction de Bixby ? Pourquoi son cerveau ne lui crachait-il pas simplement la réponse, comme d'habitude ?

Elle compta jusqu'à treize, se relaxa et laissa les calculs affluer vers sa conscience. Bien sûr : pour le déterminer, elle avait besoin de connaître la distance qui séparait Bixby de l'équateur.

Elle tourna le dos à la fenêtre et prit son manuel d'éducation civique sur l'étagère, en l'ouvrant aux dernières pages. En le feuilletant, elle trouva une carte du centre des États-Unis. Un vrai timbre-poste. Bixby n'y figurait pas, naturellement, mais Dess savait que la ville se trouvait au sud-ouest de Tulsa.

C'était facile : deux lignes de latitude et de longitude se croisaient à l'endroit précis où serait apparu Bixby si quelqu'un s'était donné la peine de la mettre sur la carte. Trente-six degrés nord par quatre-vingt-seize degrés ouest.

— Oh, merde, souffla-t-elle tandis que les chiffres tournoyaient dans sa tête.

Elle en oublia aussitôt la vitesse de minuit. Elle venait de mettre le doigt sur un truc grave.

Trente-six était un multiple de douze. Quatre-vingt-seize également. Ces chiffres additionnés (trois plus six plus neuf plus six) donnaient vingt-quatre, *encore* un multiple de douze.

Elle referma son livre et se frappa le front. Dess avait joué avec le code postal, la population, les angles d'architecture, mais il ne lui était encore jamais venu à l'idée de vérifier les coordonnées géographiques de Bixby.

La spécificité de la ville ne tenait peut-être pas aux pierres mystiques ou au désert, mais tout simplement à son emplacement sur le globe. Comme l'étoile à treize branches que l'on voyait partout, la solution s'affichait au vu et au su de tous, sur n'importe quelle carte du monde.

Le cœur de Dess se mit à battre plus fort tandis que les nombres défilaient sous son crâne. Si elle avait raison, cette découverte pourrait aussi répondre à la question à un million de dollars : y avait-il d'autres temps bleus ailleurs dans le monde ? Dess ferma les yeux, en se représentant le globe terrestre. Océans et continents disparurent jusqu'à ce qu'il ne reste plus que le quadrillage lumineux des longitudes et des latitudes. En faisant varier les directions, on trouvait sept autres endroits possédant les mêmes coordonnées que Bixby : trente-six sud par quatre-vingt-seize ouest, trente-six ouest par quatre-vingt-seize nord, et ainsi de suite. Sans oublier d'autres combinaisons probables avec d'autres chiffres. Quarante-huit par quatre-vingt-quatre, par exemple, ou encore vingt-quatre par vingt-quatre. Bien sûr, la plupart de ces points se situeraient en plein océan, mais certains d'entre eux devaient se trouver sur la terre ferme.

Il pouvait exister une douzaine d'autres Bixby à travers le monde.

À moins que tout cela ne soit qu'une coïncidence.

Dess se mordit la lèvre.

Elle entrevoyait peut-être un moyen de vérifier sa théorie.

Elle rouvrit son manuel et scruta la carte de l'Oklahoma comme si ses yeux pouvaient se changer en loupes, grossir la carte jusqu'à lui montrer Bixby et le désert environnant. Où se croisaient précisément les deux lignes?

Son père aurait pu le savoir. En tant que contremaître, il possédait des cartes détaillées des champs pétrolifères tout autour de la ville, et en particulier dans le désert.

Dess regarda par la fenêtre. Toujours rien. Attendre là inoccupée la rendait folle. Il fallait qu'elle découvre où se situait le centre de minuit. Si sa théorie était juste, elle devinait la réponse.

Elle se leva, gagna sa porte en catimini et l'entrouvrit avec prudence. Aucun scintillement de télévision ne lui parvint du fond du couloir; la maison était calme, silencieuse. Son père travaillait le lendemain, comme presque tous les week-ends, et ses parents étaient déjà couchés. Dess sortit dans le couloir et, prenant garde à ne pas poser le pied sur les lattes qui grinçaient, s'avança lentement jusqu'à la salle de séjour. Elle laissa la porte ouverte derrière elle, guettant d'une oreille un bruit à sa fenêtre.

C'était stupide, réalisa-t-elle. Cela pouvait fort bien attendre demain. Ils avaient déjà pris suffisamment de retard sans s'exposer aux questions parentales.

Mais il fallait qu'elle sache.

Son père conservait ses cartes dans le grand meuble à classeurs qui faisait office de table basse dans la salle de séjour. Dess s'agenouilla et ouvrit le tiroir du haut, large de presque un mètre. Il ne contenait que des pochettes, des stylos et des fournitures sans intérêt. Le second renfermait des cartes en papier très fin déroulées, couvertes de traces de doigts et dégageant une odeur familière de pétrole brut.

Elle entendit un bruit de moteur et se figea, retenant son souffle.

La voiture passa en brinquebalant sur la route non goudronnée et s'éloigna.

Dess fouilla parmi les cartes, vérifiant les coordonnées à la lueur du lampadaire qui filtrait par les fenêtres. Incroyablement détaillées, elles montraient chaque maison individuelle, chaque puits de pétrole. Dess réalisa ainsi que l'intégralité de Bixby était comprise en un seul degré de latitude et de longitude, lui-même subdivisé en « minutes » d'environ un kilomètre et demi. Ses doigts cherchèrent le point d'intersection.

Hélas, les cartes avaient été rangées en désordre.

— Merci, papa, maugréa Dess.

Un léger bruit se fit entendre dans la chambre de ses parents, et Dess ferma les yeux, le cœur battant. Son père avait horreur que l'on touche à ses affaires. Mais aucune lumière ne s'alluma, et le silence retomba dans la maison.

Dess finit par trouver ce qu'elle cherchait.

Elle sortit la carte avec précaution, la laissa s'enrouler tel un parchemin, puis l'emporta sans faire de bruit jusqu'à sa chambre.

Après un coup d'œil par la fenêtre en direction de la rue toujours déserte, elle étala la carte par terre en bloquant les coins avec quatre pièces d'acier. D'un doigt tremblant, elle suivit les lignes en pointillés jusqu'à leur intersection.

— Je le savais, dit-elle.

Trente-six nord par quatre-vingt-seize ouest se situait en plein milieu du Creux des Bruissements.

Il ne pouvait s'agir d'une coïncidence. La fosse aux serpents était le quartier général des darklings. Et s'il suffisait d'une longitude et d'une latitude particulières, il y avait probablement d'autres endroits de par le monde où le temps bleu survenait à minuit.

Un coup de klaxon retentit à l'extérieur.

— Hé ! Ce n'est pas moi qui suis en retard, siffla-t-elle en attrapant son sac de toile.

Espèce d'idiots. Dess garderait sa découverte pour elle dans l'immédiat. Elle la vérifierait toute seule. À défaut de mieux, elle ferait regretter à Rex de ne pas l'écouter plus souvent.

Avant de se faufiler par la fenêtre, elle jeta un dernier coup d'œil à son réveil : vingt-trois heures vingt-quatre.

Jamais ils n'arriveraient à temps.

24

LE CREUX DES BRUISSEMENTS

La fête commençait à peine.

Le Creux des Bruissements formait une vaste plaine à perte de vue. Il semblait parfaitement plat jusqu'aux montagnes basses se découpant au loin sur le ciel nocturne. Et il était inhabité, à l'exception des voitures garées dans la poussière. Selon Dess, c'était un lac asséché depuis des siècles. Jessica frappa du pied le sol stérile. Comment deviner que ce désert glacial balayé par les vents avait été un étang ?

Elle s'enveloppa dans son blouson. Il n'était pas aussi chaud que celui qu'elle avait laissé chez Constanza. Ici, plus rien ne faisait obstacle aux éléments. La raison pour laquelle l'Oklahoma était si venteux tenait à son manque de relief : l'air y prenait de plus en plus de vitesse, pareil à un poids lourd lancé sur une autoroute rectiligne. Il soufflait sans faiblir ni changer de direction, mordant à travers le mince blouson. Au moins, Jessica avait-elle chaud aux pieds. Constanza avait bien tenté de lui prêter des chaussures à talons, mais elle s'en était tenue à une paire de vieilles bottines qu'elle espérait à l'épreuve des serpents.

Resserrant les pans du blouson, Jessica leva la tête et écarquilla les yeux. Elle n'avait jamais vu autant d'étoiles dans le ciel de Chicago. Si loin des lumières de la ville, elles semblaient briller par millions. Jessica comprit d'où la Voie lactée tenait son nom. C'était une rivière blanche sinueuse qui s'écoulait d'est en ouest (elle avait vérifié sur sa boussole en sortant de la voiture), remplie d'étoiles et de tourbillons lumineux.

— Brrr. On se croirait déjà en hiver, fit Constanza. Viens, allons nous réchauffer.

Trois kilomètres plus tôt elles avaient quitté la route pour s'engager directement sur l'ancien lac asséché, qui ressemblait à un immense parking. Constanza avait roulé vers une lumière vacillante, pour s'arrêter enfin auprès d'une douzaine de voitures et de pick-up alignés dans la poussière. Un groupe de jeunes était rassemblé une trentaine de mètres plus loin autour d'un feu de joie. La fosse peu profonde était bordée de pierres noircies par d'anciens brasiers. On y avait jeté du petit bois, quelques troncs et ce qui ressemblait à des débris de meubles. Le feu prenait tout juste, en crépitant et en sifflant, séchant le bois encore vert.

Jessica suivit Constanza.

Un bouquet d'étincelles explosa et s'envola dans les airs, emporté par le vent. Les jeunes se mirent à rire tandis que les braises poursuivaient leur course folle à travers le désert avant de s'éteindre quelques secondes plus tard. De la musique sortait d'un petit lecteur CD posé dans la poussière.

— C'est pas super? dit Constanza.

— Si.

La nuit était splendide, Jessica devait le reconnaître, et spectaculaire. Hélas, sa soirée ne se résumerait pas à un feu de joie sous la voûte étoilée.

— Hé, Constanza, lança un garçon en se détachant du groupe.

— Hé, Rick. Ça roule? Je te présente mon amie Jess.

— Salut, Jill.

— Salut, Rick. C'est Jessica, en fait.

— D'accord. Venez donc vous réchauffer près du feu.

Ils se serrèrent autour du brasier. Jessica sortit les mains de ses poches pour les réchauffer. Rick leur offrit une bouteille de bière à chacune, que Jessica refusa poliment. D'autres véhicules arrivèrent. Leurs passagers avaient apporté du combustible pour le feu: des chaises cassées, des branches mortes, une pile de vieux journaux qui s'enflammèrent page après page avant de s'envoler, soulevés par l'air chaud. Quelqu'un apporta même un panneau indicateur planté dans une pièce de béton, et tout le monde rit et applaudit quand il se tordit dans le feu et noircit. Jessica espérait que personne n'aurait d'accident de la route à cause de cette soirée. Constanza s'amusait bien et la nuit était magnifique, mais Jessica se sentait trop jeune pour se trouver là. Allait-on lui demander sa carte d'identité et l'expulser d'un moment à l'autre?

Elle consulta sa montre : onze heures quarante-cinq. Dans cinq minutes, il serait temps de s'éloigner en toute discrétion. D'après Dess, la fosse aux serpents ne se situait qu'à quelques minutes de marche, mais l'idée de se mettre en retard était inconcevable. Jessica tenait à se trouver en sécurité au fond de la fosse avant l'arrivée de minuit.

Elle frotta nerveusement ses mains l'une contre l'autre, guère impatiente de quitter la chaleur du feu, de s'aventurer seule en plein désert. Elle frémit et se rendit compte que si son visage était en train de rôtir, son dos gelait. Elle se retourna face au désert et, grâce au feu dans son dos, elle eut l'impression d'enfiler un manteau de fourrure. Elle soupira.

— Tu es bien silencieuse.

Jessica battit des cils. Alors que ses yeux s'accoutumaient à l'obscurité, elle distingua la silhouette d'un garçon devant elle.

— Peut-être. Je ne connais pas grand monde ici.

— Tu es une amie de Liz et de Constanza ?

— Oui. Je m'appelle Jessica.

— Salut, Jessica. Moi, c'est Steve.

Jessica put enfin distinguer les traits du garçon, éclairés par les flammes vacillantes. Il paraissait plus jeune que les autres.

Elle sourit.

— Alors, Steve, comme ça tu es de Broken Arrow ?

— Oui. J'y suis né. Tu te tiens d'ailleurs au cœur de Broken Arrow. Comme tu le vois, c'est une ville qui ne dort jamais. Elle ressemble à Bixby, sans les gratte-ciel.

Jessica s'esclaffa.

— Une métropole florissante.

— Certes, sauf que je ne sais pas ce que « florissante » veut dire.

— Oh. Ça veut dire, heu… (Elle haussa les épaules.) Particulièrement plate et venteuse ?

Steve hocha la tête.

— Il n'y a pas plus florissant que Broken Arrow, dans ce cas.

Le visage de Jessica se refroidissait.

— Je crois que je vais rechanger de côté, annonça-t-elle.

Elle lui fit une petite place tout en se retournant face au feu.

Elle regarda de nouveau sa montre : encore dix minutes. Elle tendit les mains, tâchant d'emmagasiner la chaleur en prévision de son escapade.

— Tu n'as pas l'accent d'ici.

— Je viens de Chicago.

— Chicago ? Waouh ! Avec de vrais gratte-ciel. Tu dois te sentir un peu perdue en Oklahoma.

— Ça change, c'est vrai. Sauf en ce qui concerne le vent. Pour ça, c'est comme à Chicago.

— Tu as froid ? Tu veux mon blouson ?

Steve portait un anorak qui paraissait très épais.

Jessica secoua la tête.

— Je ne peux pas.

— Tu es sûre ?

— Oui. (Elle regarda sa montre.) Je vais devoir te laisser, en fait.

Une lueur de déception passa dans le regard de Steve.

— Tu t'en vas déjà? J'ai dit un truc qui...?

— Non, non, pas du tout. Je vais seulement faire un tour. Du côté de la fosse aux serpents.

Steve acquiesça.

— Pour minuit, hein? Tu sais où c'est?

— Plus ou moins. On m'a dessiné un plan.

— Je vais te montrer.

Jessica se mordit la lèvre. Elle n'avait pas prévu d'emmener un non-midnighter avec elle. Mais au fond, pourquoi pas? Steve ne risquerait rien, quoi qu'il puisse se passer dans la fosse. Il resterait figé du début à la fin. Et l'idée de s'éloigner du feu seule dans l'obscurité n'avait rien d'encourageant. Au moins, avec Steve, elle ne risquerait pas de se perdre.

Il souriait à demi, guettant sa réponse.

— D'accord, dit-elle. Allons-y.

Le froid s'empara d'elle à l'instant où ils quittèrent le brasier, en s'insinuant comme des doigts glacés à l'intérieur de son blouson. Les jambes de Jessica, protégées uniquement par son collant, étaient gelées, et ses mains aussi, bien qu'elle les garde enfoncées dans ses poches.

— Alors, qui t'a parlé de la fosse aux serpents? s'enquit Steve.

— Heu, tout le monde. Constanza en a parlé un jour. Ça avait l'air, tu sais, intéressant.

— Et tu comptais y aller seule? Dis donc, tu es plutôt courageuse.

— J'ai mes moments de stupidité, concéda Jessica en claquant des dents.

— Tu es gelée, Jessica.

Steve la serra contre lui. Le contact de l'anorak autour de ses épaules la réchauffa un peu, même si c'était gênant de se coller ainsi à un garçon autre que Jonathan.

— Merci.

— Pas de problème.

Ils s'enfoncèrent dans le désert. Jessica se demandait bien comment faisait Steve pour s'orienter. On ne voyait aucun repère à l'exception de la Voie lactée, qui courait dans la même direction qu'eux. Cela voulait dire qu'ils se dirigeaient plein ouest ou plein est. Il aurait fallu sortir sa boussole pour s'en assurer.

— Tu es sûr de savoir où on va?

— Oh, oui. Je suis né et j'ai grandi ici, tu sais, même s'il n'y a pas de quoi en être fier.

— D'accord.

Elle consulta sa montre. Plus que cinq minutes.

— Ne t'en fais pas, on y sera avant minuit, lui assura Steve. Pile à l'heure pour les fantômes.

Elle se força à sourire.

— Je ne voudrais surtout pas rater ça.

Un scintillement lui accrocha le coin de l'œil. C'était le brasier, un peu plus loin sur leur droite. Elle se demanda pourquoi il n'était plus derrière eux.

Jessica leva les yeux vers le ciel. La Voie lactée s'étirait désormais en travers de leur chemin. Ils avaient tourné soit au nord, soit au sud.

— Heu, c'est encore loin ?

— Oh, une dizaine de minutes.

— Dix minutes ? Mais il est presque minuit. (Un frisson traversa Jessica, qui ne devait rien au froid.) Mon amie disait que c'était juste à côté du feu.

— Tu as froid ? On peut s'arrêter à ma voiture, si tu veux.

— Ta voiture ?

— Juste là, indiqua Steve en l'attirant plus près. On pourrait se réchauffer.

Elle le repoussa.

— Mais il faut que je sois là-bas à minuit !

La rangée de véhicules apparut devant eux. Il l'avait baladée.

— Écoute, Jessica, dit-il. La fosse aux serpents, c'est rien. Juste un vieux trou plein d'eau croupie et de reptiles. Tu parles d'une attraction. (Il se rapprocha d'elle.) Je peux te montrer des trucs beaucoup plus intéressants.

Jessica pivota et partit à grandes enjambées en direction du feu, plongeant la main dans sa poche à la recherche de son plan et de sa torche. Ses doigts tâtonnèrent, engourdis par le froid.

— Jessica…

Elle entendit ses pas derrière elle.

Sans lui accorder la moindre attention, elle déplia son

plan. On y voyait la fosse aux serpents à l'est du feu. Jessica braqua sa torche sur la boussole et tourna le dos au feu pour se diriger plein est.

Steve lui emboîta le pas mais elle l'ignora, dans l'espoir qu'il finisse par se décourager.

Elle rangea son attirail dans ses poches et accéléra l'allure. Dess avait dit qu'elle ne pouvait pas rater la fosse. Elle semblait se détacher dans le désert comme une longue tache noire.

Steve la retint par l'épaule.

— Hé, attends une minute, Jessica. Je suis désolé. Je ne pensais pas que c'était si important pour toi.

Elle se dégagea brutalement.

— Laisse-moi tranquille !

— Je ne voulais pas... (Il cessa de la suivre, et sa voix s'estompa dans son dos.) Tu vas te perdre, Jessica. Tu vas tomber sur un serpent.

— Toujours mieux que de tomber sur toi, grommela-t-elle.

— Et n'oublie pas les mauvais esprits, lui lança Steve. Il est presque minuit. Alors, tu tiens à te retrouver dans le noir toute...

Sa voix stoppa net, aussi vite qu'une radio qu'on éteint. La lumière changea, le bleu familier envahit le désert à la manière de l'aube. L'air devint calme et silencieux. Il fit tout de suite plus chaud, mais Jessica frissonna.

Minuit avait sonné.

Elle se mit à courir.

25 | 00h00

LA FOSSE AUX SERPENTS

Alors qu'elle s'élançait, Jessica jeta un coup d'œil derrière elle et fit la grimace en voyant Steve. Il regardait droit vers elle à l'instant où minuit l'avait figé. Elle allait devoir se débrouiller pour revenir là avant la fin de l'heure secrète. Si elle n'occupait pas la même position, il aurait l'impression qu'elle avait brusquement changé de place.

Mais Jessica sourit en se détournant pour piquer un sprint. Si elle ne revenait pas du tout, il croirait l'avoir vue se volatiliser sous ses yeux.

L'idée n'était pas déplaisante.

Le désert s'étalait devant elle, immense et bleu, comme si elle courait à la surface d'un océan. À la lueur de minuit, cependant, elle put distinguer quelques éléments du paysage. Des nuages s'étiraient au-dessus de sa tête, et quelques buissons s'accrochaient à la rocaille. Les étoiles demeuraient visibles, et Jessica put vérifier d'après la Voie lactée qu'elle se dirigeait dans la bonne direction.

Elle n'aperçut aucun signe de darklings ou de grouilleurs, en tout cas. Pas encore.

Ni la moindre trace de la fosse aux serpents.

Quelle idiote de s'être fiée à Steve ! Si elle s'en était tenue au plan initial, quittant la soirée toute seule pour suivre les indications de Dess, elle se trouverait en sécurité au fond de la fosse à cet instant.

— Trouillarde, cracha-t-elle entre ses dents.

Comment pouvait-elle espérer survivre aux darklings et aux grouilleurs si elle avait peur d'une petite marche en solitaire dans le noir ?

Tout en courant, Jessica scrutait les alentours à la recherche de la fosse. À quelle distance Steve l'avait-il entraînée ? D'après sa montre, elle courait déjà depuis six minutes.

Elle s'arrêta. Cela semblait un peu excessif, pour ce qui devait représenter à peine cinq minutes de marche.

Elle sortit sa boussole. L'instrument allait-il fonctionner dans l'heure secrète ?

— Allez, allez, chuchota Jessica.

L'aiguille décrivit paresseusement un tour complet, avant de pointer dans la direction d'où elle venait.

Mais elle avait couru vers l'est. Le nord ne *pouvait pas* se trouver derrière elle.

Un petit cri s'éleva dans le désert, un appel aigrelet.

Jessica scruta le ciel. Devant elle, des ailes de chauve-souris se découpaient sur la lune montante : un grouilleur volant, assez proche pour l'avoir repérée. Elle devait reprendre sa course. Mais dans quel sens ?

Elle se tourna vers l'est. Elle ne vit rien hormis le désert, immuable et bleuté. Son regard retomba rageusement sur la boussole.

L'aiguille pointait dans une nouvelle direction. Elle situait toujours le nord dans son dos, bien que Jessica ait changé de position.

— Qu'est-ce que… ?

Jessica pivota lentement sur elle-même. Quelle que soit son orientation, l'aiguille persistait à pointer droit sur elle.

— Génial, je suis le nouveau pôle nord maintenant, marmonna-t-elle.

Encore une énigme à soumettre à Rex.

Si elle vivait assez longtemps pour le revoir…

Elle enfonça la boussole inutile dans sa poche et leva la tête vers les étoiles. La Voie lactée courait d'est en ouest, avant que minuit n'affole la boussole. La lune scintillait au bout de la traînée lumineuse.

— Ce que je suis bête !

Le soleil se levait à l'est ; pourquoi pas la lune sombre ?

Elle n'avait jamais cessé de se diriger dans la bonne direction.

Jessica se remit à courir à toute allure. Si le grouilleur l'avait repérée, elle n'avait pas un instant à perdre. Si elle ne parvenait pas à destination au plus vite, elle était fichue.

La lune avait pris de la hauteur, et sa face sinistre emplissait désormais l'horizon à l'est. Des formes ailées se rassemblaient devant elle, silhouettes sombres dans la lumière froide.

Soudain elle aperçut une sorte d'éclair bleuté. Mais il semblait frapper dans le mauvais sens, jaillissant du sol vers le ciel, avant de se scinder en multiples branches de feu, pareil à un gigantesque arbre mort et sans feuilles, brusquement dévoilé par un éclair. D'autres filaments bleutés fusèrent du sol, et Jessica entendit les cris des grouilleurs volants. Elle en vit même un tomber du ciel, touché par l'une des branches chargées de foudre bleue.

— Dess, souffla-t-elle.

Les éclairs bleus, véritables défenses de la fosse aux serpents, entraient en scène. Jessica allait dans la bonne direction. Le refuge ne se trouvait plus très loin.

Elle prit ses jambes à son cou.

Les bêtes volantes semblaient tester les défenses et tentaient de se glisser entre les éclairs pour plonger dans la fosse aux serpents. À mesure que la nuée s'épaississait, les éclairs se multipliaient, traçaient un arc crépitant de flammes bleues au-dessus de la fosse. Les buissons autour de Jessica jetaient de longues ombres vacillantes.

Encore quelques secondes et elle serait en sécurité.

Une forme noire massive bondit par-dessus l'arc bleu, trop grosse pour être un grouilleur. Elle fondit droit sur Jessica ; ses ailes déployées occultaient presque le crépitement d'étincelles dans son dos.

Jessica s'immobilisa en dérapant, hors d'haleine. Quand le darkling se posa devant elle et replia ses ailes, elle le vit bouillonner, se transformer, devenir une silhouette noire tout en muscles, griffes et yeux scintillants. Une panthère.

L'arc bleu qui défendait la fosse ne se dressait plus qu'à quelques mètres. Elle en était si proche…

Jessica sortit la chaîne de Jonathan, qu'elle serra dans son poing. Elle murmura son nom :

— Oblitératrice.

La bête rugit, faisant trembler le sol dur sous ses pieds. Elle se cabra, et ses dents de sabre sortirent de sa gueule.

L'espace d'un instant, Jessica se retrouva paralysée par la peur, comme la première fois qu'elle avait vu un darkling. Mais ensuite elle se souvint avec quelle insouciance Dess s'était débarrassée de cette panthère, dans un flamboiement d'étincelles jaillies de son enjoliveur.

Ce soir Jessica n'était pas sans défense.

— Tu vas déguster, mon gros minet, dit-elle en serrant sa chaîne.

La bête feula, impressionnée en rien.

Jessica se prépara à passer à l'offensive, le collier roulé en boule au creux de sa paume. Inutile d'attendre l'intervention d'un deuxième darkling.

La panthère se tapit, les yeux brillants, comme si elle sentait que sa proie se préparait à agir.

Jessica respira un grand coup et courut droit sur le félin.

Celui-ci se cabra, surpris. C'était un prédateur, guère accoutumé à voir le gibier attaquer. Puis ses réflexes de chasseur prirent le dessus. Il sortit les griffes et bondit droit sur elle, vif comme un serpent, subitement transformé en une boule de muscles.

Elle lui lança le collier.

À peine avait-il quitté sa main que chaque maillon s'embrasait, dans un jaillissement d'étincelles bleutées. Le fauve et l'acier enflammé volèrent l'un vers l'autre et entrèrent en collision au sommet de leur courbe, dans un fracas terrifiant. Le félin fut projeté en arrière et émit un hurlement. Il roula sur lui-même et se releva maladroitement au bord de la fosse aux serpents, en secouant la tête.

Ses yeux glacés se verrouillèrent sur Jessica.

Une seconde plus tard, le monde parut exploser.

Un éclair jaillit de la fosse, au ras du désert, pour frapper la panthère de plein fouet. La fosse aux serpents s'illumina sous une flamme bleue glaciale, dans un grondement de pluie sans cesse plus fort, puis une explosion projeta Jessica sur le sol. Elle roula dans la poussière, secouée par la détonation.

Pendant un moment, elle demeura incapable de faire un geste. Sa tête résonnait et elle ne voyait plus que l'éclair en train de frapper le grand félin, imprimé sur sa rétine comme le flash d'un appareil photo.

Jessica s'obligea à rouvrir les yeux et se remit debout sur ses jambes flageolantes, en toussotant, éperdue. Des larmes coulaient sur ses joues, et, en clignant des paupières pour les chasser, elle distingua dans le ciel une forme floue qui se ruait vers elle.

Elle tituba en arrière. La forme se posa devant elle.

Jessica porta la main à son cou, d'instinct, mais le collier ne s'y trouvait plus. Elle était vulnérable.

Une main se referma sur son poignet.

— Par ici, Jess.

La gravité s'annula. Elle se vit soudain légère comme une plume.

— Jonathan.

D'un seul bond puissant, il la catapulta avec lui jusqu'à l'autre côté de la frontière crépitante. Elle ne se trouvait plus qu'à quelques mètres de la fosse. Les éclairs scintillèrent autour d'eux, et elle sentit les cheveux se dresser sur sa tête, comme si elle avait posé le pied dans un champ électrique.

Jessica se réceptionna en trébuchant sur le bord de la fosse et, à l'instant où Jonathan lui lâcha le bras, se sentit glisser dans un sable plus tendre. Elle se laissa tomber sur les fesses.

— Jess ?

— Ça va.

Elle cligna des paupières pour chasser la poussière qu'elle avait dans les yeux et parvint à fixer son regard sur Jonathan. Il respirait fort, agenouillé près d'elle au bord de la fosse tandis qu'autour d'eux le sable roulait vers le fond.

— J'ai essayé d'arrêter le darkling, mais il s'est jeté sur toi tellement vite, expliqua-t-il, hors d'haleine. J'ai bien cru qu'il était trop tard.

— Non, tu es arrivé juste à temps.

Jessica secoua la tête, tâchant de se débarrasser de son bourdonnement d'oreilles. Ses doigts et ses orteils grésillaient, on eût dit qu'une force colossale l'avait traversée, en électrifiant son corps au passage. Chaque respiration paraissait la remplir d'une énergie nouvelle. Elle eut presque envie de rire.

— J'ai perdu Oblitératrice. Je veux dire, je l'ai jetée sur le gros matou, bredouilla-t-elle.

— J'ai vu. C'était incroyable.

— Il est fichu ? Ton collier ?

— Il a volé en morceaux, mais je t'en offrirai un autre.

— Oh, bien.

Jessica gloussa, puis s'obligea à respirer lentement, profondément. Ses frissons se calmaient. Sa vision finit par s'éclaircir pour de bon. Les traits de Jonathan étaient crispés.

— Tu es sûre que ça va ? s'inquiéta-t-il. Tu as la tête d'une fille qui vient de planter une fourchette dans une prise de courant.

— Merci ! (Jessica se releva non sans peine, et il lui tendit la main pour l'aider.) Non, je t'assure, je vais bien.

De fait, elle se sentait on ne peut mieux. Elle lissa ses cheveux qui pointaient dans toutes les directions.

— Heu, Jessica…

— Oui ?

— Je rêve ou tu t'es maquillée ?

Elle épousseta ses vêtements.

— Quoi, on n'a plus le droit de se faire belle pour une soirée ?

Jonathan haussa un sourcil et regarda autour de lui. La fosse aux serpents était bordée de morceaux de métal, des pièces de récupération qui scintillaient et crépitaient.

La foudre en jaillissait par vagues, repoussant les grouilleurs dans les airs. Des formes grillées, tordues, gisaient sur le sol – les corps fumants des malheureux qui s'étaient aventurés trop près. À travers la voûte de foudre bleue, Jessica aperçut quelques darklings qui planaient. Leurs yeux indigo brillaient à la lueur des éclairs incessants.

Jonathan s'esclaffa.

— Tu parles d'une soirée !

Jessica sourit, puis fronça les sourcils.

— Tous les invités ne sont pas arrivés, on dirait.

— J'ai repéré la voiture de Mélissa de l'autre côté du Creux, en venant. Ils risquent d'avoir un peu de retard. (Il jeta un coup d'œil au spectacle pyrotechnique.) S'ils arrivent à passer.

Jessica regarda la nuée tourbillonnante des grouilleurs au-delà des arcs de foudre bleue.

— Et toi, Jonathan, comment es-tu passé ?

Il indiqua un objet sur le sol à côté de lui. Cela ressemblait à un vieux couvercle de poubelle cisaillé, gravé de nombreux symboles et signes étranges.

— Je te présente Individualité Rogatoirement Surdéveloppée. C'est Dess qui me l'a fabriquée pour venir ici.

— Individualité Rogatoirement… ?

Elle rit.

— Quoi ?

— Rien. Je trouve le nom génial.

— C'est son nouveau truc. Les noms à trente-neuf lettres seraient plus efficaces, apparemment.

— J'ai l'impression qu'il n'y avait rien de trop, observa Jessica.

Le couvercle était noirci d'un côté, comme s'il avait servi à repousser le jet d'un lance-flammes.

— Les grouilleurs s'écrasaient dessus comme des insectes sur un pare-brise.

Jonathan ramassa l'objet. Avec les doigts passés dans la poignée, le couvercle ressemblait à un bouclier cabossé. Jonathan aperçut la lune, à moitié levée.

— Ils devraient déjà être ici.

Jessica avisa la Voie lactée encore visible derrière l'énorme lune.

— C'est par là qu'ils arriveront, non? demanda-t-elle.

Jonathan acquiesça, puis sortit une barre chocolatée dans laquelle il mordit.

Ils longèrent la fosse pour gagner l'autre côté. À la lueur des éclairs, leurs ombres immenses se projetaient dans toutes les directions. La fosse s'ouvrait tel un cratère irrégulier en plein désert, comme si l'on avait arraché une motte de terre avec une pelle géante. Des plantes s'accrochaient sur ses flancs et la terre au fond semblait noire et humide. Jessica crut distinguer un grouilleur sous ses pieds, mais ce n'était qu'un reptile ordinaire, figé par minuit.

— Chouette endroit pour une soirée, maugréa-t-elle.

Ils atteignirent le bord opposé et contemplèrent la plaine lisse du Creux des Bruissements.

— Je les vois, annonça Jonathan.

26

LE GANTELET

— Drôlement impressionnant, Dess.

— Merci, même si j'espérais y assister de l'intérieur.

— Arrête, dit Rex pour la dixième fois. Il y avait des flics partout ce soir. C'est déjà un miracle qu'on ait pu venir jusque chez toi.

— Et maintenant, comment comptes-tu nous amener là-bas ? s'enquit-elle.

La voûte bleue qui recouvrait la fosse aux serpents flamboyait au milieu du désert. Grâce à sa vision de minuit, Rex distinguait parfaitement le moindre filament de foudre froide qui fusait du cercle d'acier forgé par Dess. Il voyait les grouilleurs tournoyer au-dessus, attirés par la fosse et ses pierres millénaires, tout juste assez intelligents pour se tenir à l'écart des forces meurtrières qu'ils faisaient jaillir du métal propre. Il voyait aussi les darklings à l'arrière-plan, méfiants, patients, en train de guetter la suite des opérations.

Tout était bien en place.

Hélas, l'action se déroulait à plusieurs centaines de mètres, dans une plaine dégagée n'offrant guère de moyen de défense.

— Aucune idée, admit-il.

— Ils savent que nous sommes là, déclara Mélissa. Mais ce n'est pas nous qu'ils veulent. C'est elle.

Rex hocha la tête. Il distinguait deux silhouettes derrière la barrière fulgurante, qui le regardaient de loin. Jessica était venue, avait risqué sa vie pour les retrouver.

— Dans ce cas, on n'a qu'à s'avancer tranquillement.

Dess le dévisagea comme s'il était cinglé.

— Après toi, suggéra Mélissa.

Dess avait établi un petit périmètre défensif autour d'eux, grâce à des piquets d'acier empruntés à la tente de camping de son père, plantés avec soin et reliés par du fil métallique de manière à former une étoile à treize branches. Le fil scintillait comme une toile d'araignée sous la lune. Repousser les darklings ne présentait pas de difficulté quand on pouvait installer des défenses, mais progresser à découvert serait une autre paire de manches.

— On ne va pas rester plantés là toute la nuit. (Il leva les yeux vers la lune.) Il nous reste à peine quarante minutes.

— Moins que ça, rectifia Dess. La barrière est en train de faiblir.

Rex la fixa.

— Quoi ? s'écria-t-il. Tu avais dit qu'elle durerait pendant tout le temps bleu.

Elle secoua la tête.

— Je sais, mais tu as vu ce feu d'artifice tout à l'heure. Elle a été touchée par quelque chose d'énorme. Peut-être un darkling. Je ne m'attendais pas à ce qu'un de ces gros matous se montre aussi bête.

Rex battit des cils. Il ne l'aurait jamais imaginé lui non plus. Les darklings étaient très anciens, et ceux qui subsistaient ne pouvaient être, par sélection naturelle, que les plus prudents. L'autosacrifice n'était pas dans leur nature.

— Raison de plus pour ne pas rester là. Il faut qu'on aille les aider.

Mélissa dressa la tête et huma l'air.

— Je ne crois pas qu'ils aient l'intention de partir.

— Non, reconnut Rex. Mais nous devons essayer. Au sprint, on peut couvrir cette distance en deux minutes.

— Et se faire tuer en trente secondes, acheva Dess.

Il se tourna vers Mélissa.

— Tu as bien dit qu'ils ne s'intéressaient pas à nous ?

— Ils auront vite fait de changer d'avis s'ils nous voient nous approcher d'*elle*.

Rex serra les poings.

— C'est bien pour ça qu'on doit tenter quelque chose. Vous ne comprenez donc pas ? Ils veulent Jessica parce qu'elle est importante, qu'elle représente la clé d'un truc qui nous échappe. Il faut absolument découvrir quoi.

— Oui, c'est palpable, confirma Mélissa. Ils la haïssent. Je le sens. Mais les darklings et nous n'avons jamais vraiment été ennemis, Rex. Tu as toujours dit qu'ils étaient comme des bêtes sauvages : si on reste loin d'eux, ils ne s'approcheront pas de nous. C'est elle qui les rend fous.

— Alors, qu'est-ce qu'on fait ?

— On se tire.

— Pardon ?

— On fait demi-tour et on rentre chez nous.

— Mélissa, dit Dess, ma barrière autour de la fosse risque de ne pas tenir pendant toute l'heure.

Mélissa haussa les épaules.

— Dans ce cas, nos problèmes seront résolus, d'une manière ou d'une autre. Peut-être que Jessica découvrira quel est son talent quand elle en aura vraiment besoin ; à moins que les darklings n'obtiennent ce qu'ils sont venus chercher, et que tout redevienne normal.

Rex contempla sa vieille amie. Il n'en croyait pas ses oreilles.

— Mélissa... commença-t-il, mais les mots lui manquèrent.

Un rire aigrelet retentit du côté de Dess.

— Que tout redevienne normal ? Je croyais que tu détestais la normalité.

— Possible, mais c'est toujours mieux que de me faire tuer pour cette fille.

— Et pour Jonathan, lui rappela Dess. (Elle se tourna vers Rex.) Pas question de me retrouver rien qu'avec vous deux. Allons-y.

Rex regarda Dess s'agenouiller devant son sac de toile. Elle ouvrit la fermeture Éclair et sortit une tige en métal d'un mètre de long à laquelle elle imprima une brève secousse. Une deuxième tige d'acier coulissa hors de la première à la manière d'un télescope, le tout constituant une longue barre recouverte des signes et symboles mathématiques habituels, mais en très grand nombre.

— Scintillantes Illustrations Méningitiques, annonça-t-elle gaiement.

Dess pivota en direction de la fosse aux serpents. Enjambant la frontière des cordes à guitare tendues sur les piquets de tente, elle s'avança dans le désert.

— Vous venez ? lança-t-elle.

Rex cligna des paupières, puis lui emboîta le pas. Il prit le temps de se pencher pour ramasser le sac de toile, qui émit un bruit métallique rassurant contre son flanc. Après quelques pas, il entendit Mélissa soupirer dans son dos et sut qu'elle les suivrait.

Ils avaient couvert la moitié du chemin quand les darklings les remarquèrent enfin.

Quelques grouilleurs s'étaient approchés en volant ou en rampant, mais l'arme de Dess les avait repérés et s'était mise à crépiter. Aucun d'eux n'avait osé mettre sa puissance à l'épreuve. Rex en était venu à croire qu'ils passeraient sans encombre.

Puis le darkling surgit. Il les survola par-derrière, voila un instant la lune et vint se poser directement devant eux.

Il ne ressemblait pas à un félin ni à aucun darkling ordinaire. Rex n'aurait su dire de quoi il avait l'air. Son corps globuleux était velu, avec de grosses plaques de poil par endroits. Il avait de grandes ailes dont les doigts squelettiques apparaissaient à travers la peau translucide. Quatre longues pattes velues pendouillaient sous son corps, et grattèrent doucement le désert quand il se posa. Son ventre boursouflé se gonfla comme une outre en s'écrasant sur le sable.

— Un vieux, prévint Mélissa à voix basse. Très vieux.

Rex lâcha le sac de toile et plongea la main à l'intérieur. Ses doigts se refermèrent sur un sac en papier rempli de petits objets métalliques – rondelles, épingles à nourrice, couverts, clous – qui tintaient les uns contre les autres. Il en prit une poignée et la soupesa au creux de sa main, en se demandant si Dess les avait bien baptisés un à un. Il semblait y en avoir des centaines.

— Il ne tient pas à nous affronter, continua Mélissa. Il veut juste qu'on s'en aille.

— Dans ses rêves, grommela Rex.

Les ailes se recroquevillaient, disparaissaient à l'intérieur de la créature. Une cinquième patte surgit du corps, molle et ballante ; puis une autre, et deux encore, jusqu'à ce que la créature puisse arracher sa masse du sol sur huit pattes arachnéennes.

Rex frémit en reconnaissant la forme. C'était une mygale, une version gigantesque de cette araignée du désert.

La créature monstrueuse illustrait à merveille le discours de Rex à Jessica au musée. Les darklings représentaient les premiers cauchemars de l'humanité, l'incarnation des peurs universelles. Chats noirs, serpents, araignées, lézards, asticots – les darklings, en les imitant tous, inspiraient la terreur.

Or, les araignées constituaient le cauchemar personnel de Rex.

Surtout les araignées velues.

La créature vacilla sur ses pattes tremblantes aux poils effilochés, tout emmêlés. Elle s'agita en levant une patte comme pour sentir le vent. Ses yeux semblaient disséminés au hasard sur son corps ; ils brillaient d'un éclat violet sous la lune sombre.

— Il n'a pas l'air si terrible, affirma Dess sans grande conviction.

— Il y en a d'autres, prévint Mélissa.

Deux autres darklings planaient dans le ciel un peu plus loin, manifestement prêts à se joindre à la fête.

— Celui-ci d'abord, dit Rex, ravalant son dégoût pour avancer de quelques pas.

Il plongea la main dans le sac en papier, prit une grosse poignée d'éléments métalliques et les jeta de toutes ses forces.

Les bouts de métal s'embrasèrent avec une flamme bleutée ; ils s'éteignirent en frappant le darkling. Quelques filets de fumée s'élevèrent de ce dernier, tandis qu'une odeur évoquant les poils roussis et le chien mouillé parvenait aux narines de Rex. La bête réagit à peine. Elle se contenta de frémir, de tressaillir, dans un lent soupir nauséabond, l'exhalaison de ses gigantesques poumons malades.

— Laisse, intervint Dess, il faut sortir l'artillerie lourde.

Elle s'élança au pas de course, en brandissant sa tige métallique à la manière d'un javelot. La bête se cabra sur six pattes, en agitant les deux dernières devant elle pour la repousser.

Parvenue à quelques mètres Dess lança son arme, qui s'illumina au moment de quitter sa main, en sifflant dans les airs comme une chandelle romaine. Le métal s'enfonça dans l'araignée, crevant la chair tachetée. Une flamme bleue se répandit hors de la blessure.

La chose poussa un hurlement atroce. Son corps boursouflé s'écrasa au sol tandis que ses pattes s'agitaient vainement en l'air.

— Oh, l'horreur ! s'écria Dess.

Elle recula en titubant, une main sur sa bouche.

Quelques secondes plus tard, une puanteur abominable submergeait Rex et Mélissa, une odeur de rat crevé et de plastique fondu mêlée à des relents d'œuf pourri. Mélissa toussota, s'étrangla et mit un genou à terre.

— Tous à la fosse ! réussit à crier Rex.

Ils n'étaient plus qu'à une centaine de mètres.

Il entreprit de contourner l'araignée frémissante, son sac à la main. Mélissa trébucha à sa suite. Dess fila par-delà la mygale dont les pattes continuaient à s'agiter follement, droit vers le dôme bleu de la fosse aux serpents.

Tout en courant, Rex vit le désert s'animer sous ses yeux: une coulée de sable noir vint lui barrer la route. L'énorme araignée s'aplatissait, se flétrissait comme un ballon percé.

— Arrête, Rex! s'écria Mélissa en le retenant par le bras. Il n'est pas mort. Juste…

Suffoquée par la puanteur, elle fut incapable de terminer sa phrase.

Mais Rex les vit à son tour se déverser de la blessure du darkling, giclant à gros bouillons. D'autres araignées, par milliers. Elles s'écoulaient en un torrent noir devant la fosse aux serpents.

Dess se trouvait de l'autre côté, courant toujours. Rex la vit franchir la barrière scintillante et tomber dans les bras de Jessica et Jonathan.

Le flot des araignées infléchit sa course, revint vers Mélissa et lui. Il en montait une sorte de crissement sourd, comme si une benne entière de gravier se déversait sur une plaque de verre.

Rex vida le reste de son sachet, éparpillant ses bouts de métal autour de leurs pieds en un cercle grossier de deux mètres de large environ. Le flot bouillonnant atteignit la barrière d'acier et se brisa dessus, avant de s'écouler de part et d'autre.

Quelques secondes plus tard ils étaient encerclés sur un îlot de sable par une marée d'araignées.

Les bouts de métal lancèrent des étincelles en crachotant, tandis que les plus éloignés viraient au rouge vif.

Quelques araignées se risquèrent à enjamber l'acier ; elles s'embrasèrent aussitôt, mais d'autres suivirent, en rampant sur leurs cadavres calcinés.

— Combien de temps va tenir cette barrière, à ton avis ? demanda Rex à Mélissa.

— On s'en fiche, répondit-elle.

Elle regardait en l'air. Rex suivit son regard consterné.

Les deux autres darklings fondaient sur eux.

Ils avaient pris la forme de panthères. L'un d'eux se trouvait juste au-dessus, ses dents de sabre clairement visibles, ses ailes gonflées comme un parachute.

— Je suis désolé, cow-girl.

— Au moins, dit-elle, ces saloperies m'auront eue avant que ces foutus humains me rendent folle.

— Ouais.

Rex espérait que les panthères arriveraient avant que les araignées ne lui grimpent dessus. Il porta son poing à ses lèvres et baptisa ses bagues à tête de mort.

— Compréhension. Incorruptible. Impersonnelle.

Puis il prit Mélissa par le bras. Tout était de sa faute à lui, mais quelle erreur avait-il commise ?

Une seconde plus tard, un objet non identifié heurtait le darkling dans un bouquet d'étincelles.

INDIVIDUALITÉ ROGATOIREMENT SURDÉVELOPPÉE

Jonathan prit le gros de l'impact sur son bouclier, mais la violence de la collision suffit à lui couper le souffle. Sous la peau du darkling roulaient des muscles durs comme des boutons de porte. Il entendit le mince aluminium d'Individualité Rogatoirement Surdéveloppée se froisser sous le choc, après quoi le bouclier chauffé à blanc lui brûla les doigts. Des étincelles fusèrent de la chair du darkling, et son hurlement lui creva les tympans.

Pendant un bref instant, Jonathan redevint lourd; le contact du darkling l'avait privé de sa gravité de minuit. Il tomba comme une pierre mais dès que la chair glaciale de la créature s'éloigna, son corps s'allégea de nouveau.

Le temps qu'il touche le sol, Jonathan ne pesait pratiquement plus rien.

Il roula sur ses pieds, pour se retrouver nez à nez avec Rex, stupéfait.

— Tu as vu ça ? lui dit-il. En plein dans les dents.

Sur le chemin du Creux, Jonathan avait découvert que son couvercle de poubelle constituait un remarquable accessoire de vol. C'était à la fois une planche de surf, une aile, une voile – bref, une surface capable de prendre le vent et de contrôler sa direction une fois en l'air. Alors qu'il filait droit sur le darkling, Jonathan s'en était servi pour corriger sa trajectoire à la manière d'un missile à tête chercheuse.

Quelque chose grésillait à ses pieds, et Jonathan baissa la tête. Les araignées convergeaient de partout, forçant le passage par-dessus le métal. Il s'était posé au cœur d'une immense flaque de bestioles venimeuses.

Pas le meilleur point d'atterrissage.

— Ça commence à sentir le roussi, dit-il à Rex et Mélissa. Fichons le camp d'ici.

— Juste un problème, petit génie, objecta Mélissa.

Elle tendit le doigt.

L'autre darkling s'avançait vers eux en rase-mottes.

Jonathan ramassa son Individualité Rogatoirement Surdéveloppée encore fumante, en espérant qu'il restait assez de jus dans son nom à trois étages ; il la prit au creux de son bras comme un frisbee géant et la lança vers la créature.

Sans attendre le résultat, il attrapa Rex et tendit l'autre main.

Mélissa s'en écarta en frémissant.

— Je préfère encore y passer.

— C'est des conneries, dit Rex, en lui donnant une bourrade dans le dos.

Elle releva les mains d'instinct, et Jonathan en saisit une.

Il eut la nausée, et faillit tourner de l'œil. Il sentit l'esprit de Mélissa envahir le sien, belliqueux, coléreux et brûlant d'une avidité fiévreuse. Il dévorait ses pensées, ses souvenirs, fouillait les moindres recoins de son cerveau. Les émotions de la jeune fille le traversèrent : la terreur des araignées, la surprise de se retrouver subitement légère comme une plume et, surtout, l'horreur absolue d'être touchée.

Pendant un instant il en resta paralysé, puis une demande impérative résonna dans sa tête.

Saute, crétin, lui adressa en esprit Mélissa.

— Un, deux… commença-t-il.

Rex n'avait plus volé avec lui depuis plus d'un an, mais les réflexes étaient encore là. Ils s'accroupirent et décollèrent au-dessus des araignées. À eux deux, ils étaient assez forts pour tracter Mélissa.

Jonathan entendit le deuxième darkling recevoir le projectile, et un hurlement résonner dans le désert. Mais d'autres formes ailées s'approchaient – des grouilleurs.

Mélissa lui enfonçait les doigts dans le poignet mais parvint néanmoins à se battre avec sa main libre, arrachant chaque collier, qu'elle lançait tout autour du trio. Les grouilleurs atteints s'abattaient en hurlant. Rex, de son côté, décochait des coups de poing ; ses bagues en acier jetaient des étincelles.

Le premier bond les entraîna à quelques mètres de la fosse aux serpents. Jonathan dut retenir Rex sans quoi le bond suivant les aurait envoyés de l'autre côté, dans le désert.

Ils s'immobilisèrent en dérapant derrière la barrière de protection quelques secondes plus tard. Jonathan lâcha ses passagers, qui se laissèrent tomber sur le sable. Mélissa se tordit la cheville, et ses yeux flamboyèrent à la lueur des éclairs.

Mélissa se plia en deux, secouée de haut-le-cœur ; elle geignit, en griffant le sable avec la main qu'il avait touchée. Prise de toussotements, elle parvint à se redresser face à lui. Jonathan se prépara au pire.

Le visage de la jeune fille exprimait une émotion qu'il ne lui avait encore jamais connue, ou qu'il n'avait jamais su voir. Elle était si triste, si désespérée ! Puis, ses traits reprirent leur masque familier.

— Merci, dit-elle.

Alors seulement, Jonathan réalisa qu'ils avaient bel et bien rallié la fosse aux serpents.

—– Pas de quoi.

Mélissa se tourna vers Dess.

— Et à toi.

Dess baissa les yeux, haussa les épaules.

Mélissa leur tourna le dos.

— Je veux dire, merci à toi aussi, Dess.

Jonathan jeta un coup d'œil à Jessica, qui fronça les sourcils. Rex posa la main sur l'épaule de Mélissa mais celle-ci se dégagea.

Rex soupira et ôta ses bagues avec précaution. Ses doigts portaient des traces de brûlures. Il leva les yeux vers la lune, presque à son zénith.

— On ferait mieux de s'y mettre, dit-il. Tu es prête, Jess ?

Jessica frissonna dans son blouson.

— Je pense.

Jonathan lui prit la main. Il sentit les muscles de la jeune fille se détendre sous la gravité de minuit.

— Jonathan, va aider Dess, dit Rex.

Le garçon se raidit ; il avait toujours détesté chez Rex cette manière de se comporter comme s'il était le chef. Mais il inspira profondément et dit :

— D'accord. L'aider à faire quoi ?

Dess s'éclaircit la gorge.

— À réparer les défenses, pour empêcher la fosse aux serpents d'être envahie par les darklings et un petit million de grouilleurs.

— Je croyais que tu avais dit...

— Mes défenses s'affaiblissent, expliqua-t-elle. Elles ont dû se prendre un choc. Quelque chose de gros.

— Comme un darkling ? s'enquit Jessica.

— Par exemple.

Jonathan et Jessica échangèrent un regard.

— J'en ai balancé un contre le dôme, avoua Jessica.

À quelques mètres de là, Mélissa ricana. Elle était redevenue égale à elle-même.

Dess fronça les sourcils.

— Waouh. Il faudra que tu me montres comment tu as fait.

— Oh, par hasard. Comme tout le reste.

— Plus tard, les interrompit Rex. Fais-nous gagner un peu de temps, Dess. (Il se tourna vers Jessica.) Heu, Jess… ?

— Quoi encore ?

Rex hésita.

— Tu es maquillée, ou c'est moi qui… ?

Elle leva les yeux au ciel.

— Lâchez-moi. On est vendredi soir !

— Non, mais ça te va super. Vraiment. Bon, allons-y.

Jessica pressa la main de Jonathan, puis se détourna. Rex et Mélissa l'entraînèrent vers le fond de la fosse.

Jonathan respira un grand coup, puis détacha son regard de Jessica.

— O.K., Dess, et maintenant ?

— Eh bien, d'abord, on récupère tout le métal propre que j'ai apporté dans mon… (Dess gémit, et se donna une claque sur le front.) Dans mon sac de toile.

Jonathan regarda autour de lui.

— Où il est ?

Dess tendit le doigt vers le désert, à l'endroit où les

araignées continuaient à s'écouler du darkling, telle une marée bouillonnante de pattes et de crochets.

— Laisse tomber, dit Jonathan.

Dess soupira.

— Il ne nous reste plus qu'à improviser.

LA CÉRÉMONIE

Jessica suivit Rex au centre de la fosse.

Le sol était trempé à cet endroit. Ce matin-là, à la bibliothèque, Dess lui avait expliqué la formation de ce genre de cuvette. Dessous, se trouvait une nappe d'eau entre deux épaisseurs de roche, formée à l'époque où le Creux était encore un lac. La croûte de sable sous ses pieds, plus fine à cet endroit, s'était en partie effondrée dans la nappe phréatique quelques décennies plus tôt.

Jessica s'avança prudemment. La fosse aux serpents allait-elle s'effondrer encore dans un avenir proche ? Avec sa chance, elle choisirait sans doute cette nuit pour ça.

Au centre, à l'endroit le plus profond et le plus humide, une grande pierre jaillissait du sol. Selon Dess, elle avait été enfouie là depuis longtemps, peut-être plusieurs milliers d'années plus tôt, avant que la formation de la cuvette ne la fasse réapparaître au grand jour. Cette pierre avait compté pour le peuple qui avait combattu les darklings autrefois, avant que les créatures ne se retirent dans l'heure secrète.

Elle était à peu près de la taille de Rex, avec une saillie plate à mi-hauteur environ sur laquelle des petits cailloux s'empilaient. Rex les balaya d'un revers de la main.

— Fichus gosses, dit-il.

— Encore heureux qu'il n'y ait pas de rigides ici cette nuit, dit Mélissa. (Elle se tourna vers Jessica.) Certains soirs, il faut pratiquement leur grimper dessus pour arriver jusqu'à la pierre.

— Oui, j'ai entendu dire que certaines personnes se rendaient ici à minuit.

— Ça arrive, confirma Mélissa. On aime bien leur flanquer une petite frousse, histoire qu'ils hésitent à revenir la fois suivante, tu comprends?

— Oh, je comprends très bien.

Mélissa sourit.

— Hé, c'est pour leur bien.

Rex était en train de palper la pierre, qu'il examinait.

— C'est l'un des endroits où l'ancien savoir évolue, expliqua-t-il à Jessica. J'essaie de venir le plus souvent possible.

— Évolue? Tu veux dire que le savoir est différent d'une nuit à l'autre?

Jessica se rapprocha d'un pas, tâchant d'apercevoir les signes que Rex déchiffrait. Elle ne vit que la roche, composée de strates de différentes couleurs. Dans l'éclairage bleuté, on ne distinguait que des nuances de gris.

Il acquiesça.

— Oui. Chaque fois que je viens lire les signes, j'en découvre de nouveaux. (Il frappa d'un poing léger sur la pierre.) Un tas d'histoires dorment ici, et elles n'apparaissent pas toutes en même temps.

— Comme sur un écran d'ordinateur, dit-elle.

Mélissa ricana, mais Rex hocha la tête encore une fois.

— Oui. Sauf qu'on ne peut pas lui faire raconter ce qu'on veut. C'est lui qui décide ce qu'il affiche.

— À moins de lui demander d'une façon très gentille, compléta Mélissa.

Elle sortit une pochette de velours noir de son blouson et en tira un couteau.

Jessica avala sa salive.

— Comment ça fonctionne, au juste ?

— La pierre a besoin de te connaître un peu plus intimement, dit Mélissa.

— Intimement, répéta Jessica. Elle va me faire des papouilles, ou quoi ?

Mélissa sourit de nouveau.

— Plutôt te mordiller, et sans méchanceté.

Rex se tourna vers Mélissa et lui prit le couteau des mains.

— Ça va, Mélissa. N'en fais pas toute une histoire.

Il se retourna vers Jessica.

— Quelques gouttes de sang suffiront.

Elle battit en retraite.

— Vous ne m'avez pas prévenue !

— Rien qu'une petite entaille au bout du doigt. Tu ne sentiras presque rien.

Jessica serra le poing.

— Allez, Jess, insista Mélissa. Tu n'as jamais été sœur de sang? Tu n'as jamais scellé une promesse de cette manière?

— Non, jamais. Je suis plutôt du genre à me faire le signe de croix sur le cœur.

Rex acquiesça.

— En fait, ce signe de croix sur le cœur était à l'origine un serment de sang. On le faisait avec un couteau dans l'ancien temps.

— Quand on disait « si je mens, je vais en enfer », c'était du sérieux, dit Mélissa.

— On n'est plus dans l'ancien temps, se défendit Jessica. Et je ne tiens pas particulièrement à aller en enfer.

— Quoi, tu vas jouer les mauviettes? railla Mélissa.

Jessica fulmina. Après tout ce qu'elle venait de traverser cette nuit-là, personne ne la traiterait de mauviette. Et certainement pas Mélissa.

— C'est bon. Passe-moi ce couteau, dit-elle en soupirant.

— Que la collecte commence, proclama Rex.

Il indiqua une petite dépression dans la saillie rocheuse, pas plus grosse qu'une pièce de vingt-cinq cents.

Jessica inspecta le couteau.

— Ce truc est propre, au moins?

— Bien sûr. Aucune main non humaine ne l'a...

— Pas « propre » dans ce sens-là, l'interrompit Jessica, en se retenant de lever les yeux au ciel. Désinfecté.

Rex sourit.

— Sens-le.

Jessica renifla la lame et reconnut l'odeur d'alcool à soixante-dix degrés.

— Vas-y mollo, d'accord ? prévint Rex. On veut seulement quelques gouttes.

— Pas de problème.

Elle contempla sa main et forma le poing en laissant dépasser l'annulaire. Le couteau scintillait sous la lune sombre, et elle put lire sur la lame les mots *acier inoxydable.*

— Bon, dit-elle en se préparant.

— Tu veux que je le fasse, ou…

— Non !

Elle retint son souffle, serra les dents et entailla son doigt. La douleur ondula le long de son bras.

Le sang perla sous ses yeux. Même dans la lueur bleue, il était d'un beau rouge écarlate.

— Ne le gaspille pas, prévint Mélissa.

— Oh, il y en a tant qu'on veut, grommela Jessica.

Elle tendit la main au-dessus de la saillie et regarda une goutte se former au bout de son doigt, trembloter un moment, puis tomber dans le creux.

Un sifflement se fit entendre, du fond de la pierre. Jessica retira aussitôt sa main.

— Encore, l'encouragea Rex.

Elle tendit de nouveau la main, avec prudence, et laissa tomber une autre goutte. Le sifflement s'intensifia. Elle sentit le sol frémir sous ses pieds.

— O.K., dit Rex. Ça devrait suffire.

La pierre dressée devant Jessica vibrait. Le sable glissait de tous côtés au centre de la cuvette, et elle dut dégager un pied, puis l'autre.

— C'est normal, ça ? s'inquiéta-t-elle.

— Heu, je ne sais pas, reconnut Rex.

— C'est la première fois qu'on le fait, avoua Mélissa.

— Super !...

— Je veux dire, d'habitude, le talent de chacun est assez évident, se défendit Rex en s'écartant de la pierre.

Celle-ci tremblait de plus en plus fort. De la poussière s'élevait tout autour, et Jessica entendit un puissant gargouillis monter du sol.

Elle imagina l'eau par-dessous, froide, sombre, qui stagnait depuis des siècles.

— Quand va-t-on foutre le camp d'ici ? cria-t-elle pour couvrir le bruit.

La grande pierre se fendit de haut en bas avec un craquement sec.

— Je dirais « maintenant » ! répondit Rex sur le même ton.

Jessica tourna les talons et entreprit de gravir la pente. Le sable se dérobait sous elle, en la ramenant vers le fond.

D'un coup, le vacarme prit fin.

Les trois s'immobilisèrent, se dévisagèrent, puis se retournèrent vers la pierre.

— Joli coup, apprécia Mélissa. Tu l'as carrément brisée, Jessica.

La pierre était fendue en deux ; une mince fracture courait sur toute sa longueur. Toutefois, la secousse avait cessé. De la poussière voletait, et la foudre continuait de s'élever du périmètre de la fosse mais presque en silence après le tremblement de terre.

Jonathan atterrit en douceur auprès de Jessica, et cette dernière entendit Dess dévaler la pente à sa suite.

— Que s'est-il passé ? demanda-t-il.

Jessica lui montra son doigt.

— Je me suis coupée. Ça a déclenché un séisme.

Rex se précipita vers la pierre, pour examiner la saillie.

— Ça a marché, dit-il dans un souffle.

Jessica s'approcha derrière lui et se pencha à son tour sur la petite dépression. Son sang avait dessiné de minces lignes sombres sur la roche. Ces lignes formaient un symbole : une pince tenant une étincelle.

— Que lis-tu, Rex ?

Il hésita, cligna des paupières.

— Deux mots, reliés par un trait d'union… porteflambeau.

Jessica haussa les épaules.

— Ce qui veut dire ?

Il s'écarta de la pierre en secouant la tête. Jessica se retourna vers les autres midnighters. Ils semblaient tout aussi perplexes qu'elle.

— Je n'en sais rien, répondit Rex. Porte-flambeau? Personne n'a ce talent-là.

— Maintenant, si, dit Jonathan.

— Eh bien, j'espère qu'il est efficace, annonça Dess. Parce que d'ici cinq minutes, nous allons avoir de la compagnie.

LE PORTE-FLAMBEAU

— Comment ça, de la compagnie ? s'alarma Rex.

— Quand les défenses ont grillé le darkling de Jessica, mon métal s'est sérieusement altéré, expliqua Dess. Il donne des signes de fatigue.

Jessica jeta un coup d'œil au bord de la fosse. La barrière protectrice semblait bel et bien s'affaiblir. Les éclairs qui la constituaient n'étaient plus aussi aveuglants ; leur lumière bleutée était pâle, timide.

— Je suis au courant, dit Rex. Mais je croyais que tu réparerais ça.

— On a fait ce qu'on a pu. Il ne me restait plus assez de métal de rechange. Quelqu'un a oublié mon sac de toile en plein désert.

— C'est toi qui l'as lâché, protesta Rex, quand tu as voulu jouer les Amazones avec ta lance.

— Il fallait bien éliminer cette mygale, cria Dess.

— Tu ne l'as pas éliminée, s'écria Rex, tu l'as transformée en armée qui a failli nous noyer.

— On ne se noie pas dans une armée !

— Ça suffit !

Le cri de Mélissa les fit taire aussitôt. Jessica vit que leur dispute l'avait laissée livide, pliée en deux par la souffrance.

— Désolé, Mélissa, s'excusa Rex.

Il respira un grand coup.

— Je ne peux rien faire de plus, Rex, dit doucement Dess.

Jessica leva la tête vers le ciel. Au-delà du dôme d'énergie crépitante, elle voyait les grouilleurs tournoyer. Au bord du cratère, une masse d'yeux minuscules la fixaient. Les araignées encerclaient la fosse et les couvaient d'un regard avide.

— On s'en remet à toi, Jessica.

Elle se tourna vers Rex avec une expression d'impuissance.

— Que veux-tu que je fasse ? Vous me regardez tous comme si j'étais censée le savoir. Comme si j'avais quelque chose de spécial.

Jonathan lui prit la main, et elle se sentit gagnée par sa légèreté.

— Ça va aller, Jess. On va trouver.

— Que veut dire en fait « porte-flambeau », Rex ? demanda Dess.

— Je ne suis pas sûr. Il faudrait que je fasse des…

— On n'a pas le temps d'interroger l'ancien savoir, Rex, l'interrompit Jonathan. Que crois-tu que ça signifie ?

Rex contempla la pierre fendue, en se mordant la lèvre. Mélissa sortit la tête d'entre ses mains et le dévisagea.

— Tu rigoles, dit-elle.

Dess s'esclaffa.

— Tu crois que c'est à prendre au sens littéral, hein? Qu'elle peut utiliser le feu. Du *vrai* feu.

— Dans l'heure secrète? dit Jonathan.

— Ça ferait un malheur, se réjouit Dess. Du feu rouge dans le temps bleu.

Rex regarda Mélissa.

— Ce n'est pas idiot, admit-elle. Ça expliquerait pourquoi elle leur fait si peur.

— Mais vous disiez que le feu ne fonctionnait pas ici, protesta Jessica.

Rex acquiesça.

— Exact. C'est même pour ça qu'ils ont créé l'heure secrète. Le but de la Cassure était précisément d'échapper à la technologie. Le feu, l'électronique, les idées neuves. (Il se tourna vers Jessica.) Et voilà que ton arrivée les confronte au feu une nouvelle fois. Ce qui pourrait tout changer.

— Plus tard, les discours, intervint Dess. Quelqu'un a une allumette?

— Non.

— Non.

— Non.

Mélissa secoua la tête.

— Tu parles d'un porte-flambeau. C'est un porte-allumettes qu'il nous aurait fallu.

— Hé, j'avais pensé aux allumettes, protesta Jessica. Mais Rex m'a dit que ça ne…

Le tonnerre roula à travers la fosse, accompagné d'un éclair aveuglant, et un grouilleur mort s'abattit aux pieds de Dess.

— Oh, beurk! s'écria-t-elle en se pinçant le nez.

Mélissa leva la tête.

— Ils savent que les défenses s'épuisent. Ils se rapprochent.

— D'accord, dit Rex. On n'a peut-être pas besoin d'allumettes. Il suffit de faire du feu à l'ancienne.

— Avec quoi? Des silex? demanda Jonathan.

— Ou deux bâtons. Il faut les frotter l'un contre l'autre, dit Dess.

— Des bâtons? (Jessica regarda autour d'elle.) Je ne suis pas un porte-bâton non plus, et nous sommes en plein désert.

— Tiens. (Rex détacha une rondelle d'acier de sa botte et ramassa un gros caillou dans le sable.) Cogne-les l'un contre l'autre, Jess.

Elle prit les objets qu'il lui tendait et les entrechoqua.

— Plus fort.

Jessica assura sa prise sur la pierre et abattit le métal dessus, aussi fort qu'elle put.

Une étincelle jaillit, rouge vif dans la lumière bleutée.

— Waouh! s'exclama Dess. Vous avez vu cette couleur?

Jessica jeta un coup d'œil à Rex. Elle ne remarquait rien de très impressionnant là-dedans.

Lui, par contre, en restait bouche bée.

— Du feu, murmura-t-il.

— Ouais, mais ce ne sont pas trois étincelles qui vont barrer la route à une armée, dit Jonathan. Il nous faut un vrai feu.

Dess hocha la tête.

— Dommage qu'il n'y ait pas de petit bois par ici. Personne n'a le moindre bout de papier ?

Jessica sortit de sa poche le plan de la fosse que lui avait dessiné Dess.

— Je vais déjà allumer ça. Tâchez de trouver d'autres trucs qui brûlent.

Elle s'agenouilla, posa le papier par terre, contre le caillou. Elle le frappa avec sa rondelle d'acier.

Quelques étincelles jaillirent, mais rebondirent vainement sur le papier.

Un cri strident retentit dans le ciel. Jessica s'interrompit. Un darkling voletait juste au-dessus d'eux, bravant la foudre bleue. Des éclairs fusèrent pour le repousser ; mais il descendit encore, et encore, soumettant les défenses à rude épreuve. La vue des étincelles semblait le pousser à une rage meurtrière.

— Continue, l'encouragea Dess.

Jessica se remit à l'œuvre sur son caillou, en essayant de l'incliner légèrement. La rondelle ripa, et elle se cogna les phalanges contre la pierre. Une vive douleur lui remonta dans la main.

Jessica redressa la pierre et refit un essai. Aucune étincelle ne jaillit. Elle avait les doigts poisseux de sang, et la coupure de son annulaire palpitait au rythme de son pouls.

Ils ne s'en sortiraient pas comme cela.

— Combien de temps avant la fin de minuit ? entendit-elle Jonathan demander.

— Trop longtemps, répondit Dess.

Jessica continua à frapper son caillou. Elle parvint de nouveau à lui arracher quelques étincelles, mais le papier refusait toujours de s'enflammer.

— Ça ne marche pas, souffla-t-elle. Peut-être avec deux cailloux ?

— Tiens.

Jonathan s'agenouilla près d'elle, en lui tendant une autre pierre. Elle entrechoqua les deux.

Rien.

Elle consulta sa montre. Encore vingt minutes avant la fin de l'heure. Les éclairs faiblissaient autour d'eux de manière visible.

— Jessica…

— J'essaie, Jonathan.

— Non, ta montre…

— Eh bien, quoi ?

Il indiqua sa montre.

— Elle fonctionne.

Jessica contempla sa montre sans comprendre. Elle prit conscience que pour la première fois elle la portait à minuit. Elle l'ôtait toujours avant de se mettre au lit.

— Elle fonctionne, répéta Jonathan, alors qu'elle est électronique. Ce n'est pas un mécanisme à ressort.

— Les voilà, murmura Dess.

Jessica leva la tête. Le dôme de foudre bleue qui protégeait la fosse aux serpents s'était éteint, dévoilant la lune sombre au-dessus de leurs têtes. Le darkling qui les survolait descendait avec méfiance. Le souffle de ses ailes soulevait la poussière autour.

— Jessica, dit Rex à voix basse. Il nous faut du feu *tout de suite*.

Elle fit mine de reprendre ses cailloux, puis hésita.

Elle se souvint du bâtiment en construction chez Aerospace Oklahoma, où Jonathan et elle avaient trouvé refuge le week-end précédent. Quand Jessica l'avait aperçu ce soir, il était tout illuminé. Il restait probablement éclairé chaque nuit. Toute la nuit.

— Jessica...

Un froissement impétueux enflait autour d'eux. Les mygales affluaient de toutes parts dans la fosse aux serpents.

— Non, gémit Rex.

Jessica pressa le bouton d'éclairage de sa montre. Le cadran s'illumina d'une lumière blanche dans la nuit bleue. Il indiquait minuit quarante-deux.

Jonathan croisa son regard, éberlué.

— Laisse tomber le feu, dit-elle en lâchant ses cailloux.

Elle sortit sa lampe torche de sa poche et l'approcha de ses lèvres.

— Improvisation, dit-elle.

Elle la braqua vers la marée de mygales et l'alluma.

Un faisceau de lumière blanche jaillit de la lampe ; les araignées se mirent à siffler.

30 | 00h00

LE TALENT

La lumière blanche balaya le sol de la fosse aux serpents, réduisant les araignées en cendres dans son sillage. Des sifflements stridents, abominables, s'élevèrent de l'armée en mouvement. La marée de corps velus reflua, remontant les pentes du cratère. Jessica braqua sa torche en l'air et les grouilleurs saisis dans le faisceau s'embrasèrent, rougeoyant soudain dans le ciel nocturne. Elle tendit le bras bien haut pour tenter d'accrocher le darkling qui les survolait, mais ce dernier avait disparu au loin, en rugissant.

Quelques ultimes araignées rampèrent autour des cadavres fumants de leurs congénères, et elle les grilla une à une avec son faisceau.

La lumière blanche semblait irréelle, étrange dans le temps bleu, dévoilant le désert sous ses vraies couleurs. Le pinceau lumineux dissipait le bleu, faisait réapparaître les rouges et les bruns du paysage, et montrait les cadavres calcinés des grouilleurs et des araignées dans un gris terne.

Même la lune sombre paraissait grise désormais, pâle, ordinaire, passée et inoffensive.

À mesure que les assaillants se retiraient de la fosse aux serpents, la nuit redevint silencieuse. Les appels cliquetants des grouilleurs et les crissements de l'armée d'araignées s'estompèrent, et bientôt l'on n'entendit plus que les hurlements de quelques darklings, cris de souffrance et de défaite dans le lointain.

— Éteins ce truc ! gémit Dess.

Jessica sursauta en voyant les yeux de son amie jeter des reflets violets dans la lumière. Dess se protégeait derrière ses mains en visière. Jonathan, Mélissa et Rex se cachaient les yeux, le visage tordu par la douleur.

Seule Jessica pouvait supporter la lumière.

Elle braqua la lampe torche vers le sol, puis l'éteignit.

— Désolée.

Un à un, clignant douloureusement des paupières, ils abaissèrent leurs mains.

— Ce n'est pas grave, dit Rex.

— Oui, ne t'en fais pas, dit Jonathan.

— Disons qu'on passe l'éponge. (Dess rit, en se frottant les yeux.) Je veux bien être un moment aveuglée si ça m'évite de me retrouver dans le ventre d'une araignée.

— Parle pour toi, grommela Mélissa en se massant les tempes. Il a fallu que j'éprouve votre stupide douleur en plus de la mienne.

— Alors, tu en es capable pour de bon, dit Rex d'une voix douce. Tu as introduit la technologie dans l'heure secrète.

Jessica avait la tête qui tournait. Les couleurs révélées par la lumière blanche dansaient encore sur sa rétine, images résiduelles des araignées et des grouilleurs en train de flamber. La lampe lui donnait des picotements dans les doigts.

— Une véritable semeuse de feu, dit Dess. Le pire cauchemar des darklings !

Mélissa acquiesça lentement, le nez en l'air.

— Exact. Je peux vous assurer qu'ils ne sont pas contents. Pas contents du tout.

Jessica la regarda, puis baissa les yeux sur sa torche.

— Sans doute, mais que veux-tu qu'ils y fassent ?

Dess s'esclaffa.

— Tu l'as dit.

Jonathan lui posa la main sur l'épaule.

— Alors c'est vrai. Tu es le porte-flambeau. Ça veut dire que tu peux être tranquille maintenant, Jessica.

Elle hocha la tête. Sa lampe était redevenue ordinaire. Mais lorsqu'elle était allumée Jessica s'était sentie traversée par un sentiment de grandeur, plus puissant que tout ce qu'elle avait jamais connu auparavant. Comme si elle était le vecteur d'une force colossale, comme si le monde diurne pénétrait minuit à travers elle, afin de le changer pour toujours.

— Tranquille, murmura-t-elle.

Mais pas seulement. Elle se sentait plus qu'apaisée, et cela lui faisait un peu peur.

— Tu sais, Jessica, ça ne s'arrête probablement pas aux lampes électriques, observa Dess. Je me demande quelles sont tes limites. Je veux dire, peut-être que tu pourrais te servir d'un appareil photo dans le temps bleu.

Jessica haussa les épaules, en se tournant vers Rex.

— Impossible de le savoir, dit ce dernier, tant qu'on n'a pas essayé. C'est vrai qu'une pellicule est un truc chimique, un peu comme le feu, j'imagine.

— Hé, rien que le flash, ça ferait déjà un malheur !

— Ou des talkies-walkies !

— Ou même un moteur à explosion ?

— Aucune chance.

Le groupe redevint silencieux. Rex secoua la tête, étourdi, heureux, puis regarda la lune qui déclinait à l'horizon.

— Il est tard, annonça-t-il. On s'occupera de tout ça la nuit prochaine.

Jonathan acquiesça.

— Je ferais mieux d'y aller. Les hommes de Saint-Claire sont sur mon dos en ce moment. Je te raccompagne ?

Jessica soupira. Elle aurait aimé voler, laisser derrière elle toutes les choses horribles qu'elle avait vues ce soir. Mais elle fit non de la tête.

— Il faut que je retourne à la soirée. Constanza flipperait si je disparaissais sans laisser de trace.

— D'accord. On se voit demain ?

— Absolument.

Jonathan se pencha pour l'embrasser, et quand ses lèvres touchèrent les siennes, la gravité quitta son corps. Tandis qu'il s'écarta, Jessica se sentit redescendre sur terre mais son estomac continuait à danser au creux de son ventre.

— À demain, lança-t-elle à Jonathan en le voyant tourner les talons, bondir et s'envoler hors de la fosse.

Le bond suivant le propulsa très haut parmi les airs, puis il disparut au loin dans l'obscurité.

— On ferait mieux de partir nous aussi, dit Rex.

— Bien sûr, allez-y, approuva Jessica. Je ne crains plus rien.

— Ni personne, on a vu, acheva Dess en riant. Efface-moi donc ce sourire satisfait de ton visage, Jessica Day.

Jessica se sentit rougir. Elle resserra les pans de son blouson.

— Tu sauras retrouver le chemin de la fête ? s'enquit doucement Mélissa.

— Oui. (Elle tendit le doigt.) La lune se couche à l'ouest, donc, c'est par là.

— Pas mal, Jessica, la complimenta Dess. Tu commences à prendre tes marques dans minuit.

— Merci.

— Nettoyons un peu avant de partir, les filles, suggéra Rex. On a mis plus de bazar que d'habitude.

Dess et Mélissa en convinrent à contrecœur.

— Je dois retourner auprès des autres, dit Jessica. (Elle soupesa sa lampe torche.) Je suppose que ça devrait aller.

Rex hocha la tête.

— Merci d'être venue, Jessica. De nous avoir fait confiance.

— Merci de m'avoir appris quelle midnighter je suis, répondit-elle, avant de froncer les sourcils. Même si c'est un peu tôt pour savoir ce que ça va donner, je crois qu'on peut déjà dire que je ne suis pas tout à fait inutile, non?

— Je n'ai jamais pensé ça.

Elle ne mit pas longtemps à regagner le feu. En ligne droite, il lui suffit de cinq minutes de marche, selon ce que Dess lui avait affirmé.

Jessica n'avait encore jamais vu de feu immobile. Elle lui trouva un air peu engageant. Ses flammes bleues ne produisaient aucune lumière; en fait, elles étaient à peine visibles, sinon comme une légère déformation de l'air, pareilles à des ondes de chaleur dans le désert.

Elle ne voulut pas contempler les gens figés, surtout pas leurs visages aux traits curieusement enlaidis, paraissant morts. Elle alla donc examiner le feu de plus près, approchant son doigt avec prudence pour effleurer une flamme.

La chaleur demeurait perceptible, mais douce, assourdie, tel un son provenant d'une pièce voisine. Son contact laissa une marque brillante suspendue en l'air, comme si le feu rouge tentait de se forcer un passage dans le temps bleu. Elle ôta son doigt. À l'endroit où elle l'avait touchée, la flamme était rouge désormais. Cette étincelle de lumière se détachait nettement sur le voile bleu qui recouvrait la nuit.

Quand la lune se coucha, Jessica se retira dans l'ombre.

Minuit prit fin.

Le froid l'enveloppa d'un coup, et elle frissonna dans son blouson léger.

Le feu se ranima soudain – ainsi que les conversations, les rires et la musique, comme si Jessica venait d'ouvrir une porte débouchant sur une fête. Elle se sentit plus petite ; le monde s'était peuplé en un instant, la repoussant dans les ombres.

— Jessica ?

Constanza, au bord du feu, la fixait en plissant les paupières.

— Salut.

— Je te croyais partie en balade… avec Steve, s'étonna Constanza en souriant. Je ne pensais pas te revoir avant un bout de temps.

— Oui, eh bien, je l'ai trouvé un peu lourd, en fait.

Constanza s'approcha. Elle enfonça les mains dans ses poches en s'éloignant du feu.

— Comment ça ? (Constanza l'étudia de plus près, en écarquillant les yeux devant les cheveux en bataille de Jessica, ses phalanges ensanglantées et la poussière qui maculait son blouson et sa robe.) Ça va ? Que s'est-il passé ?

— Oh, excuse-moi pour tes habits. Je ne voulais pas..

— Le petit salaud ! s'écria Constanza. Je suis vraiment désolée. Je ne m'en serais jamais doutée.

— Oui, enfin, ce n'était pas tout à fait de sa…

— Viens, Jess, je te ramène à la maison.

Jessica hésita, puis poussa un soupir de soulagement. L'envie de s'amuser lui avait passé pour de bon.

— D'accord, c'est gentil. Je veux bien.

Constanza passa d'autorité son bras sous celui de Jessica et l'entraîna vers les voitures.

— Il y a des fois où ces garçons de Broken Arrow dépassent les bornes, c'est sûr. (Constanza soupira.) Je ne sais pas ce qu'on leur trouve. Ils se croient super cool, mais ils ne savent pas se tenir.

— Le feu était sympa, quand même.

— Tu aimes les feux de camp ?

— Oui.

— Tant mieux. Peut-être qu'un de ces jours, on…

Une voix jaillit de l'obscurité devant elles.

— Ah, te voilà.

Jessica s'immobilisa, le pied en l'air. C'était Steve, de retour des voitures où il avait laissé Jessica. Elle sentit la main de Constanza se crisper sur son bras.

— Comment as-tu fait pour disparaître comme ça ? Tu m'as fichu une de ces trouilles. (Il se rapprocha.) Hé, qu'est-il arrivé à tes…

La suite le prit alors au dépourvu ; Jessica elle-même ne la vit pas arriver. D'un mouvement fluide, Constanza lâcha son amie, fit un pas en avant et cogna Steve en plein visage.

Ce dernier tituba en arrière, s'emmêla les pieds et atterrit sur les fesses.

— Hé !

Constanza reprit le bras de Jessica et repartit vers les voitures.

— La prochaine fois, on invitera des garçons de Bixby un peu plus fréquentables et on organisera notre propre fête sur la plaine salée.

Jessica battit des cils et sentit un rire monter en elle.

— Heu, ouais, ce serait sympa.

Les protestations de Steve s'estompèrent derrière elles.

— Rien de tel qu'un bon feu dans le désert, proclama Constanza.

Jessica sourit, et serra son amie contre elle pour se tenir chaud.

— Excellente idée, approuva-t-elle. J'apporterai les allumettes.

31

LES VEILLEURS DE NUIT

— Ils sont toujours dans le coin, à rôder.

— À se planquer, tu veux dire.

Rex s'allongea en arrière sur la capote de la voiture de Mélissa, les mains croisées derrière la nuque.

Mélissa huma l'air.

— Non, c'est autre chose.

Deux heures bleues s'étaient écoulées depuis qu'ils avaient conduit le porte-flambeau au Creux des Bruissements, et le désert illuminé de bleu donnait l'impression que rien n'avait jamais foulé son sol. La désolation des lieux laissait comme un arrière-goût de solitude dans la bouche de Mélissa, mélange de sable et de craie. Mais elle pouvait encore sentir les darklings et leurs alliés, tapis dans les collines au-delà du Creux.

— Ils se préparent, dit-elle.

— À quoi donc?

Mélissa haussa les épaules.

— À la suite des événements, je suppose.

— Ils doivent encore être sous le choc, dit Rex. Moi, je le suis, en tout cas.

Elle secoua de nouveau la tête.

— Non, ils s'attendaient à Jessica.

— Tu rigoles?

Mélissa ouvrit les yeux et se tourna vers son vieil ami.

— Tu ne sens pas les darklings comme moi, Rex. Peut-être qu'il faut être télépathe pour les comprendre, mais ils ne sont pas comme nous.

Elle s'allongea à côté de lui, les yeux fixés sur la lune.

— Ils sont si vieux, si effrayés.

— Ils ne me donnaient pas l'impression d'être tellement effrayés jusqu'à la semaine dernière, rétorqua Rex. Je les rangeais plutôt dans la catégorie effrayante, en fait.

Mélissa sourit. Elle avait perçu sa peur des araignées deux nuits plus tôt, une terreur aussi profonde et irrationnelle que celle d'un cauchemar d'enfant.

— Ils ont été pourchassés jusqu'au bout du monde, Rex, acculés dans le temps bleu. Harcelés par la lueur du jour, le feu, les maths, une ère entière de nouvelles technologies. Contraints de se terrer à cause d'une espèce qu'ils avaient l'habitude de dévorer au petit déjeuner. Littéralement.

— J'imagine.

— Je le sais. Je peux le sentir. Nous sommes leur pire cauchemar, Rex. Nous autres humains avec nos outils, nos chiffres et notre feu. Des singes savants qui nous sommes mis à les traquer un beau jour et n'avons plus jamais arrêté.

Depuis qu'ils se sont retirés dans l'heure secrète, ils ont toujours redouté, toujours su au plus profond d'eux-mêmes, qu'on finirait par venir les y débusquer. Comme tu sais au fond de toi qu'il y a sous ta maison une araignée qui rampe et qui t'attend.

Rex frissonna. Elle eut un petit gloussement.

— Hé, arrête ça, protesta-t-il. Je ne viens pas fouiner dans tes cauchemars, cow-girl.

— Tu as bien de la chance, ricana-t-elle, avant de continuer. Donc, ils savaient depuis la nuit des temps que Jessica viendrait. Un porte-flambeau, qui envahirait leur dernier refuge.

— Voilà pourquoi ils tenaient tellement à l'éliminer.

— Tenaient? répéta-t-elle d'une voix douce, en souriant.

Mélissa la sentait à travers le désert, leur haine glaciale, implacable; elle en percevait le goût âcre sur le bout de sa langue, comme si elle suçotait une mine de plomb. Loin d'être impuissante ou désordonnée, l'intelligence qui rôdait dans ces collines était patiente, bien préparée. Son penchant animal l'avait poussée à frapper à l'aveuglette, comme les darklings le faisaient toujours, mais elle ne s'avouait pas encore vaincue. Elle avait envisagé cette situation, élaboré des plans de secours pour chaque issue. Sa conscience sombre, ancienne, veillait, en proie à une paranoïa perpétuelle.

Elle se préparait à ce jour depuis dix mille ans.

Elle reviendrait s'occuper de Jessica Day.

Ils restèrent au bord du Creux pendant toute l'heure secrète, se demandant si les darklings oseraient se montrer.

Mélissa bâilla. S'ils montaient la garde ainsi, c'était uniquement pour satisfaire la prudence légendaire de Rex ; mais après les émotions de la semaine dernière, elle voulait bien s'ennuyer encore pendant quelques minuits.

Elle sentait Dess au fond de la fosse aux serpents, qui mesurait les fissures causées par Jessica dans la pierre, tâchant de démêler le sens mathématique de leur asymétrie nouvelle. Dess, dans un trip de navigatrice, effectuait des relevés astronomiques au moyen d'un sextant improvisé, tout excitée par une découverte numérologique qu'elle gardait secrète pour l'instant, l'esprit plongé dans le monde cristallin des angles et des fractions.

Elle sentait Jonathan et Jessica au-dessus de Bixby, qui volèrent un moment avant de se poser et de contempler le monde à leurs pieds. Heureux, voilà tout. Jessica était enchantée de son pouvoir tout neuf. Si différente des esprits tourmentés qui la haïssaient.

Enfin, elle sentait Rex à côté d'elle, les questions qui se bousculaient sous son crâne, son besoin d'en apprendre toujours plus. Elle avait la certitude que Rex Greene serait appelé à rédiger l'histoire de cette période étrange et fascinante.

Tous heureux, ignorant totalement que la bataille venait à peine de commencer.

Minuit prit fin.

Dess revint juste à temps, alors que la vieille Ford s'apprêtait à rentrer. Mélissa avait laissé le moteur tourner au ralenti – une mécanique figée par minuit ne consommait pas d'essence.

Ils se laissèrent glisser de la capote et montèrent en voiture. Dess embarqua à l'arrière, le visage impénétrable. Elle ne parlait jamais beaucoup quand elle était absorbée par ses chiffres. Rex et Mélissa observèrent un silence respectueux.

Mélissa les ramena chez eux par les petites routes, en évitant les voitures de police grâce à ses talents télépathiques. À minuit, un dimanche, peu de gens veillaient encore à Bixby, de sorte que les pensées des flics étaient faciles à détecter. Pourtant, Mélissa percevait quelques fragments ici et là, soucis nocturnes, disputes tardives, bribes de rêve ou de cauchemar.

Jamais je ne pourrai payer toutes ces factures…

Comment j'aurais pu deviner qu'elle était allergique aux cacahuètes ?

Je n'arrive pas à croire qu'on soit déjà lundi…

Il faut nous emparer de Jessica Day.

Mélissa sursauta, les mains crispées sur le volant. Elle chercha la source de cette dernière pensée, tâchant de la démêler du flot des inquiétudes, terreurs nocturnes et autres agitations rêveuses, mais elle s'était fondue de nouveau dans le chaos du terrain mental de Bixby, aussi vite qu'elle en avait jailli – une pierre lâchée dans un océan bouillonnant.

Elle respira un grand coup, réalisant qu'il était minuit dix-sept, et non minuit. Cette pensée avait été d'origine humaine.

— Qu'y a-t-il? s'inquiéta Rex.

— Pardon?

— Tu as senti un truc. À l'instant. Tu as presque arraché le volant.

Mélissa lui jeta un coup d'œil, se mordit la lèvre puis haussa les épaules, en ramenant son attention sur la route.

— Ce n'était rien, Rex. Sans doute un gamin qui faisait un cauchemar…

Découvrez le tome 2
de la trilogie à partir
de mai 2009 :

MIDNIGHTERS

2. *L'étreinte des ténèbres*

Cet ouvrage a été imprimé en France par

C P I
Bussière

à Saint-Amand-Montrond (Cher)
en décembre 2008

Cet ouvrage a été composé par
PCA - 44400 REZÉ

12, avenue d'Italie
75627 PARIS Cedex 13

— N° d'imp. 083824/1. —
Dépôt légal : janvier 2009.